De tuinen van Tuan Allah

Van Aya Zikken verschenen eerder bij uitgeverij Atlas:

*De polong**
Eilanden van vroeger
Landing op Kalabahi

* ook verschenen als Pandora pocket

Aya Zikken

De tuinen van Tuan Allah

Uitgeverij Atlas – Amsterdam/Antwerpen

Met dank aan het Fonds voor de Letteren dat mij de reisbeurzen
toekende die mij toegang gaven tot de tuinen

*Aan Ellen Schalker: terima kasih voor de steun en stimulans
bij het werken aan dit boek*

Uitgeverij Atlas maakt deel uit van Uitgeverij Contact

Omslagontwerp: Marjo Starink
Omslagillustratie: Aya Zikken
Typografie: John van Wijngaarden

ISBN 90 254 2330 2
D/1998/0108/605
NUGI 300

Inhoud

Eerder landerig dan elegisch
eerder moe dan uitgeput
denk ik dat ik maar weer zee kies
wie niet vlucht raakt ingedut.

Jan Eijkelboom

Het eiland Kei Kecil

Mijn vader kwam uit het Japanse kamp met een stijve rug en een scheve kaak. De geweerkolf van een gevangenbewaarder had hem vanaf het exercitieveld meters ver de lucht in geslingerd. Wekenlang zat zijn lichaam vol doornen van de struiken waarin hij was terechtgekomen. Daarvan bleven zachtroze spikkeltjes achter op zijn gelige huid en ik vond dat hij er daardoor markanter uitzag dan vóór hij het kamp inging.

De gebeurtenis had hem dus voor het leven getekend, maar toch was dat niet de ergste klap die hij had moeten incasseren. Onvergeeflijk vond hij het pas dat hij uit het paradijs was getild door een man die hij als vriend had beschouwd.

In een van de bewakers meende hij namelijk zijn vroegere Japanse tandarts te herkennen, een man op wie hij erg gesteld was geraakt. Voor de oorlog hadden ze in het Javaanse bergstadje vlak bij elkaar gewoond, hijzelf op de Idjenboulevard en de tandarts praktisch om de hoek. Niet alleen had die man hem een gouden kroon bezorgd, maar ook speelde hij wekelijks een spelletje schaak met hem. De benige hand met de loper erin die boven het schaakbord had gezweefd, leek hem identiek aan de hand die hij in de rij soldaten om een glimmend geweer zag geklemd.

Het hielp niet dat wij achteraf tegen hem zeiden dat het ons onwaarschijnlijk leek dat de bewuste bewaker inderdaad zijn vroegere tandarts was. Wel had hij een spion kunnen zijn, dat was mogelijk. Maar zouden die mensen later gedegradeerd worden tot gewone bewakers? Bij het uitbreken van de vijandelijkheden zouden zij toch zeker door de bezetters respectvol zijn gerepatrieerd?

Onze argumenten maakten geen indruk. Mijn vader bleef op dit punt een verbeten man. Niet omdat zijn vrijheid hem was ontnomen, niet om het feit dat hij de archieven van de schriftelijke cursus, zijn levenswerk, was kwijtgeraakt. Het ging om het verraad van de tandarts.

Hij droeg de Japanse natie in haar geheel geen kwaad hart toe en hij had wel begrip voor de vrijheidsstrijders van het nieuwe Indonesië. Maar als hij aan de verloren jaren in het kamp dacht, overviel hem het verlangen de tijd terug te draaien naar het moment waarop alles nog was zoals het hoorde.

In gedachten zat hij dan weer op zijn platje over het schaakbord gebogen. Tegenover hem de vriend van zijn leven, de Japanse tandarts. Op dat moment moest er iets fout zijn gegaan en hij wilde weten wat dat was. Voor hem was het daarom duidelijk dat hij terug diende te gaan naar Indië en dat kon alleen als het Gouvernement voor Overzeese Gebiedsdelen hem weer een baan gaf bij het onderwijs in de tropen waarvandaan hij net was gerepatrieerd.

Het gouvernement bleek niet gemakkelijk. Zijn argumenten hoorden ze met wantrouwen aan. Hij was nog maar net terug uit het kamp. Was hij wel voldoende hersteld om daarginds weer te kunnen werken? Ze vroegen hem tien diepe kniebuigingen te maken als bewijs van zijn goede conditie.

Zelfs in zijn jeugd was mijn vader nooit een sportman geweest. Nu was hij vijftig jaar en hij was niet zonder blessures uit het hongerkamp teruggekomen. Bovendien was zijn lichte mankheid met het stijgen der jaren erger geworden. Het is een beetje pijnlijk het te moeten zeggen, maar eigenlijk was hij na die kampjaren toch zeker voor vijftig procent invalide. Maar zijn geest bleek nog ongebroken. Zijn geest kon niet breken omdat die onwrikbaar was vastgeroest op het moment dat hij de vingers van zijn vriend, de tandarts, om het geweer van de vijand had menen te zien. Dat had hem door honger en dysenterie heen geholpen. Hij wilde overleven om het uit te kunnen praten. Hij bleef daardoor net zo strijdbaar als vroeger.

Dat is dan ook de oorzaak – een andere kan ik niet bedenken – voor het feit dat hij het klaarspeelde op dat koude kantoor van Overzeese Gebiedsdelen in Holland, een land waar hij zich allang niet meer thuis voelde, een bijna ongelooflijke prestatie te leveren.

Vlak voor de bureaus van koeltjes toekijkende bleke ambtenaren maakte hij tien diepe kniebuigingen. Voor de kamptijd zou hij dat vast niet hebben klaargespeeld. De ambtenaren achter de bureaus zouden het hem waarschijnlijk ook niet hebben kunnen nadoen. Morrend gaven zij toe dat hij in uitstekende lichamelijke conditie leek te zijn.

Maar ja, een goede standplaats op Java zat er toch niet in voor hem. Hij was schoolhoofd en hij zou toch zeker niet als gewoon onderwijzer ergens geplaatst willen worden. In de buitengewesten echter was hier en daar nog wel een gaatje.

Het was natuurlijk zo dat naar die plaatsen niet veel vraag was. Iedereen zat nog in een herstelperiode en goed voedsel en een behoorlijk onderkomen waren in zo'n tijd van levensbelang. Op de afgelegen eilanden waren voedsel en medische hulp nog schaars. Mijn vader kon meteen terug naar Indië als hij dat per se wilde, maar dan zou hij wel naar een van die afgelegen eilanden toe moeten.

'Ambon?' vroeg mijn vader hoopvol.

De ambtenaren schudden hun hoofd. Nee, stel je voor! Ambon! Wie zou daar niet heen willen? Ambon en Banda lagen in de voorkeurszone. Daar ging je heen om vakantie te houden. De weinige plaatsen daar waren allang vergeven. Wat zou hij denken van Toeal als standplaats?

'Toeal?' In mijn gedachten hoor ik zijn stem. Die klinkt moe en onzeker.

Wist hij niet meer waar Toeal lag? De ambtenaren glimlachten fijntjes. Ze trokken zijn geschiktheid alweer in twijfel.

'Toeal op Klein Kei,' zei mijn vader haastig. 'Je hebt ook Groot Kei. Die eilanden liggen een heel eind ten zuiden van Ambon, dichter bij Nieuw-Guinea eigenlijk. Toeal lijkt me heel acceptabel als voorlopige standplaats. Wanneer kan ik beginnen?'

'Ho! Ho!' zeiden de ambtenaren van Overzeese Gebiedsdelen. 'Eerst moeten we ons voorstel – want het is niet meer dan een voorstel – nog doorseinen naar Batavia. Daar zitten de mensen die het uiteindelijk voor het zeggen hebben. Ze werken daar misschien met een eigen lijst waarop meerdere schoolhoofden staan, die allemaal wel voor Toeal in aanmerking willen komen.'

Het werd dus wachten, maar wat maakte dat uit? Deed hij niet al jarenlang vrijwel niets anders? Hij was er goed in geworden.

In de volgestouwde suite van zijn zuster in Apeldoorn zat hij dicht bij de kachel aan de tafel met het roodpluchen tafelkleed. Met zorg stelde hij een lijst op van de leermiddelen die hij mee wilde nemen, liefst op hetzelfde schip waarmee hij naar Toeal zou varen. En de vaas met pauwenveren, de steeds binnenlopende nieuwsgierige buren, de mist die zelfs tot in de kamer doordrong, het zuchten van zijn vrouw en de niet te overbruggen afstand tussen hem en zijn dochters, die hij vergeefs met woorden in hun eigen taal probeerde te bereiken, dat hinderde hem allemaal niet meer. Het was maar voor even. Straks was hij weg.

Hij was niet eens verbaasd toen uit Batavia het telegram met toestemming kwam. Hij had het meteen zeker geweten: Toeal was voor hem.

Heel wat jaren later, toen hij niet meer leefde, hoorde ik dat hij in Batavia prioriteit had gekregen door louter toeval. Een vroegere aardrijkskundeleraar van mij had in die tijd in Batavia een positie bij de herverdeling van de standplaatsen bij het onderwijs. Er waren meer aanvragen voor Toeal, maar mijn aardrijkskundeleraar pikte er een hem bekende familienaam uit, die van een van zijn vroegere leerlingen. Hij schreef me dat later naar aanleiding van het lezen van mijn boek *De Tanimbarlegende*. Hij was erdoor getroffen, zei hij. Maar misschien was hij niet zozeer getroffen door mijn boek als wel door de namen Toeal en Zikken. Het deed hem denken aan de tijd van voor de oorlog. Hij stond weer even voor de klas, schreef hij en keek daarbij naar het portret van koningin Wilhelmina dat tegen de achterwand hing. Achter het portret zat een *tokeh** die af en toe te voorschijn schoot, je wist nooit wanneer.

'Had jij er een idee van dat ik het was die je vader naar Toeal stuurde?' vroeg hij mij.

Of hij het nu was die bepaalde dat mijn vader naar Toeal zou gaan of dat het kwam door de tien diepe kniebuigingen, of dat het voortkwam uit mijn vaders wrok jegens de Japanse tandarts, een wrok die hem toch maar staande had gehouden in de magere jaren, dat maakt voor mij niets uit.

Voor mij is het belangrijk dat ik, zonder al die factoren, nooit zelf naar Toeal zou zijn gereisd. Want hij schreef maar

* Achter in het boek is een woordenlijst opgenomen.

weinig brieven vanuit Toeal, omdat daar in die tijd hoogstens eenmaal per maand een boot langskwam. Als ik dus wat meer over hem te weten wilde komen, dan moest ik er zelf heen.

Terwijl ik plannen maakte voor de reis meende ik me het eiland Kei en vooral de plaats Toeal duidelijk voor de geest te kunnen halen. Ik zag de gouvernements-*pasanggrahan* waar mijn vader het grootste deel van zijn verblijf in Toeal had gewoond halverwege de helling liggen tussen de palmbomen. Het was een eenvoudig gebouwtje met een zitkamer die vol stond met roodpluchen meubels. Zo leek dat tenminste, had hij geschreven, omdat het rood weerkaatst werd door de een of andere spiegel die daar blijkbaar hing. Hij zat er met twee lotgenoten, een bestuursambtenaar en een arts. Het was er heet. Door het zinken dak leek de warmte verhevigd weerkaatst te worden. In twee kleine cellen waren boven elkaar britsen getimmerd. Ze konden elkaar in die kleine ruimte niet ontlopen, maar het ging wonderlijk goed tussen die drie mannen.

In andere omstandigheden zouden ze waarschijnlijk nooit samengekomen zijn, want ze hadden elk een totaal andere dagtaak. Ook waren het uiteenlopende karakters, ze kwamen niet uit eenzelfde milieu en bezaten ook niet hetzelfde geloof. De dokter was katholiek, de bestuursambtenaar gereformeerd en mijn vader atheïst. Toch voelden zij zich broeders. Ze deelden alles: de sigaren, de jenever en de wit uitgeslagen kaas die eenmaal per maand werden aangevoerd uit Holland. Ze deelden ook het nieuws uit hun schaarse brieven. Ze deelden nu eenmaal hun lot en hun vrije tijd. Tot diep in de nacht zaten ze te praten en bouwden zo een kameraadschap op die zij in hun leven niet eerder hadden gekend, niet in hun jongenstijd, niet in de kampjaren. Ik heb de indruk dat niet alleen mijn vader daar gelukkig was maar ook zijn twee vrienden. Ze konden alle drie zelfstandig bezig zijn. Niemand keek hen op de vingers. Elk was een vorst op zijn eigen gebied.

Ver weg zaten drie vrouwen, aan de andere kant van de aardbol. Ze waren gevangen in de glimlach op een zwartwitfoto. Het was niet moeilijk ze in ere te houden.

Als ik aan Toeal dacht, in de jaren dat ik het nog niet persoonlijk kende, zag ik een paradijselijk eiland voor me, waar het leven traag en rustig verliep met hun inheemse logement als intiem middelpunt. Er was toen geen enkele Japanner meer en ook nog geen *pelopper*. Voor de drie mannen was Toeal een broodnodige pauze. Het was alsof zij van een benauwende keelademhaling waren overgegaan naar de ontspannen buikademhaling waarmee ze waren begonnen als pasgeboren kind.

Het lijkt waarschijnlijk dat dit visioen van een lieflijk eiland en een onverbreekbare vriendschap, de oorzaak was dat ik in Tual die pasanggrahan maar niet kon vinden. Het vriendenhuis leek van de aardbodem verdwenen.

Zonder dat ik dat bewust wilde bouwde ik een nieuwe vriendenkring op. Ik vormde een ander soort driemanschap dat in niets leek op het driemanschap uit de brieven van mijn vader. Toch was het of wij drieën daar in het nieuwe Tual, Arif, Nyong en ik, nauw waren verbonden met die mensen van ruim veertig jaar geleden. Wij drieën hadden een totaal andere verhouding met elkaar dan de controleur, de arts en de onderwijzer van destijds. Misschien kwam dat doordat we eigenlijk al spoedig niet meer een driemanschap vormden. Er was een vierde, een bijna storend element bijgekomen, Yekki. Was zij het die de vriendschap vaak deed omslaan in vijandschap of lag het aan iets anders: het jaar waarin we leefden, de veranderende tijd, de nieuwe politieke verhoudingen?

Net als op de meeste tropische eilanden gingen ook op Klein Kei de mannen, vrouwen en kinderen tegen de avond baden in een riviertje, een meer of de baai. Ze verwisselden hun westerse kleding tegen een koelere sarong. Zelf hing ik tegen vijven mijn spijkerbroek op aan een haakje in de badkamer van het *losmen* waar ik mijn intrek had genomen. Ik trok dan een wijde lange katoenen rok aan, nooit een sarong. Ik wilde niet doen alsof ik een Indische was. Ik zei geen tabeh! meer en gebruikte het woord *sobat*, vriend, niet langer. De mensen van dit land hadden die woorden laten vallen, ze werden niet meer gebruikt sinds ik hier vijftig jaar geleden woonde. Weliswaar wilde ik niet doen alsof ik er nog bij hoorde, maar ik wilde wel laten merken dat ik hun doen en laten altijd vanuit de verte met argusogen had gevolgd en dat ik wist wat er inmiddels allemaal was veranderd. Ik hoorde er niet bij, maar rekende mezelf wel tot de ingewijden. Ik meende daardoor bepaalde rechten te hebben. Die had ik automatisch gekregen door hier heel lang te wonen, door het hier wonen op te geven, en de moed op te brengen terug te komen als een vreemdelinge.

Met de rok zwaaiend om mijn blote benen liep ik naar het riviertje om mensen te ontmoeten. Op het smalle paadje kwamen ze mij tegemoet, alweer op de terugweg na hun bad. Ze glimlachten en ik beantwoordde hun groet. Ik begon meteen een gesprek. Snel, heel snel liepen we de verplichte stadia door: waar gingen we heen, waar kwamen we vandaan? Getrouwd? Jazeker. Kinderen? Dat spreekt. Pas nadat zij zelf alle denkbare informatie hadden gegeven, kwam ik op de proppen met het feit dat mijn vader hier had gewoond. Het maakte dat iedereen geschokt de pas inhield. Sommige mensen stonden stil, hun monden vielen open. Ze leken nu een foto die ik op mijn gemak kon bekijken. Ze waren allemaal kleiner en tengerder dan ikzelf, hun haren waren nat en sluik van het water.

'Wat zegt u! Heeft uw vader hier gewoond? Wanneer dan? In 1947, 1948, 1949? Wah! Was hij de *kepala sekola* van onze school? Dan hebben we bij hem in de klas gezeten.' Stuk voor stuk zijn ze ervan overtuigd dat het waar is wat ze zeggen. Hun leeftijden doen er niet toe. Op het met witte zand van de baai bestrooide slingerpaadje langs het veld sta ik tegenover mannen, vrouwen, kinderen. Allemaal zijn ze plotseling opgewonden, de zeep glipt uit hun handen, vochtige handdoeken zwaaien door de lucht, alle gezichten glanzen. Er wordt geroepen, gelachen, handen worden uitgestoken, mijn rok wordt aangeraakt, mijn arm wordt beetgepakt, mijn handen worden geschud.

Weifelend kijk ik ze aan. Met één slag zijn ze me allemaal weer zo vertrouwd en dierbaar geworden. Tegelijkertijd zijn ze duidelijk zo anders dan ik, zo totaal vreemd. Allemaal hebben ze mijn vader gekend. Ze hebben hem door de straten zien lopen. Ze herinneren het zich nog goed: een lange witte man. Ze hebben dagelijks met hem gepraat.

Bijna iedereen van het groepje lijkt me daarvoor te jong. De volwassenen zijn in de twintig, begin dertig. Een enkele is misschien veertig jaar oud. Ze zijn te jong om hem te hebben meegemaakt. Alleen die oudere man die zwijgend achteraan staat? Ik probeer een gesprek met hem te beginnen maar de anderen barsten in lachen uit. Bakra moet ik niet hebben. Die heeft nog nooit een voet gezet in een schoollokaal. Hij kan lezen noch schrijven.

'Kunt u zich nog iets herinneren?' vraag ik hem toch. 'De eerste kepala sekola na de Japanners?'

Zonder een glimlach knikt hij. Hij wil me niet teleurstellen maar kijkt me niet aan, houdt zijn hoofd gebogen en wrijft met een blote voet in het zand.

'Heeft u hem door de straten zien lopen?'

'Ja, ja, natuurlijk.'

Bijna grijp ik zijn arm vast, maar ik houd me in. Ik kijk naar zijn rimpels, zijn tengere bovenlijf, zijn tandeloze mond en die grote pupillen in wazige ogen die een bril nodig hebben om scherp te kunnen zien. Ik doe een pas terug. Is hij niet eerder in de zeventig? Het maakt niet uit. Hij is nooit naar school gestuurd. Misschien heeft hij altijd met zijn ouders op het veld gewerkt en is nauwelijks in het dorp gekomen. Ik moet hem niet langer lastig vallen.

'Pak Bakra?'

'Ja, ja,' zegt hij nog eens haastig terwijl hij aanstalten maakt met de anderen verder te lopen. 'Ik heb hem gezien, uw vader. Een grote witte man. Heel pienter!' Hij glimlacht met vriendelijk dichtgeknepen ogen, alweer half van mij afgewend.

Ik kijk het groepje na. Ze praten druk met elkaar en lopen, elkaar plagerig van het paadje duwend, bij mij vandaan. Ze zijn me alweer vergeten en het is wel zeker dat geen van hen ooit van mijn vader heeft gehoord. Het heeft ook geen zin deze mensen te vragen waar de oude pasanggrahan heeft gelegen, waar hij die eerste maanden heeft gewoond of waar hij heeft lesgegeven, waar het huis staat dat hem ten slotte is toegewezen. Ze zullen het niet weten, maar dat nooit toe willen geven. Zoiets is niet beleefd en ze willen me graag helpen. Er zullen verhalen worden verzonnen: het huis is afgebrand en er is een bom gevallen op de pasanggrahan. Iedereen zal met mij op zoek gaan naar overblijfselen. Ze zullen van mijn verblijf in Tual een gezellige tijdpassering maken, ze zullen wedijveren in hulpvaardigheid. Maar de echte pasanggrahan, de school en het huis zal ik niet te zien krijgen. Ik moet het heel anders aanpakken.

Het dorp Tual

Met Arif, de chauffeur van een minibusje, maak ik tochten over het eiland en rijd ik kriskras door Tual, op zoek naar de pasanggrahan van mijn vader.

Vaak neemt Arif zijn vriend Nyong mee. Die zit dan achter in het busje en blaast ons, met de rook van kruidige kreteksigaretten, allerlei wetenswaardigs over het eiland in de nek. Hij is een oudere man, pezig en gespierd, een van de laatste botenbouwers die hier nog leven. Het is een aflopende zaak met die botenbouw waar Kei eens zo beroemd om was. Een enkele opdracht krijgt Nyong nog wel, maar er blijft genoeg vrije tijd over. En dan komt het goed uit dat hij wat kan rondrijden met zijn vriend Arif en een Nederlandse vrouw. Dan kan hij zich nog verdienstelijk maken doordat hij, behalve de taal van Kei, ook een beetje Engels spreekt en zelfs wat Nederlands. Hoe komt hij aan die schaarse Nederlandse zinnen? Hij is toch al te oud, bereken ik snel, om vlak na de oorlog op school te hebben gezeten bij mijn vader. Hij moet toen net twintig zijn geweest.

Nyong is gauw klaar met een verklaring. Hij kent geen doelloze hulpvaardigheid en lege beleefdheden. Niet alle Keiezen zijn gelijk. Hij geeft toe dat mijn vader hier best kan hebben rondgelopen toen hijzelf in de haven begon met zijn botenbouw, maar hij kan zich zijn gezicht niet herinneren. Hij leefde in een andere wereld dan de westerlingen en heeft nooit een van hen persoonlijk ontmoet.

'Toch spreek je het Nederlands heel goed uit,' zeg ik, 'het is alsof je het van een Nederlander hebt geleerd.'

'Van mijn vrouw,' zegt Nyong mompelend, alsof hij dat feit liever zou hebben verzwegen.

'Je vrouw?' Ik draai me om en kijk de schemer van het busje in, waar Nyong zich nu heeft teruggetrokken in een hoek. Met opgetrokken schouders zit hij tegen de zijwand gedrukt, alsof hij een aanval verwacht die hij af moet slaan.

'Nyong? Heb ik het goed begrepen? Ben je getrouwd met een Nederlandse?'

Nyong bromt een bevestiging maar komt niet uit zijn hoek. Arif neemt het gesprek haastig over.

'Ibu, het zit zo: toen mijn vriend Nyong nog jong was, twintig misschien, kwam hier een Nederlands meisje. Ze heette Helena. Ze had op Java in een kamp gezeten en zodra de oorlog was afgelopen ging ze op zoek naar haar broer die in Tual werkte toen de Japanners hier landden. Het was een katholiek meisje, dus ze zocht eerst de paters op, die naar zij dacht nog in Langgur werkten. Maar de paters waren hier niet meer. Toen de oorlog uitbrak hadden ze, samen met de gouvernementsambtenaren, nog wel per schip kunnen ontsnappen naar Australië. Maar dat wilden ze niet. Ze wilden bij hun parochianen blijven. Voor die paters was het niet zo belangrijk wie ons eiland in handen hadden, de Hollanders, de Japanners, zo dachten ze tenminste in het begin. Ze waren hier gekomen, niet alleen om de eilandbewoners hun geloof te brengen, maar ook om ze hulp en steun te geven, voorlichting, ontwikkeling en wat meer voorspoed. Dat wilden ze blijven doen. Maar het is niet gegaan zoals ze dachten.

Al op de eerste dag van de komst van de Japanners zijn ze uit hun huizen en kerken gehaald. De bisschop en de paters werden bijeengebracht op het strand en daar werden ze ter plekke doodgeschoten. Ze mochten niet worden begraven door de bevolking. Dagenlang hebben hun lichamen op het strand gelegen voordat de katholieke Keiezen ten slotte in het donker naar het strand slopen om de lijken te bergen.'

Arif aarzelt even. 'Ik ben een moslim,' zegt hij, 'maar toch vind ik het niet slim van de Japanners. Ze werden meteen gehaat. Ook werden de mensen bang. Wie bang is zoekt een uitweg.

Een enkele pater die niet was doodgeschoten verstopte zich in de wildernis rond zijn dorp. De bewoners hielpen hem, brachten hem eten en drinken, wezen hem een schuilplaats. Maar de Japanners kwamen erachter en dreigden hele kampongs uit te zullen moorden als hij niet aan hen werd uitgeleverd. De mensen van Kei kregen onderling ruzie. De vrouwen stonden op tegen de mannen. De mannen wilden de vrouwen en kinderen beschermen en dus vertelden ze de voortvluchtige pater hoe moeilijk zij het hadden.'

'De pater is toen zelf naar de Japanners gegaan,' vul ik aan. 'Hij moest wel. Is hij toen doodgeschoten?'

'Nee,' zegt Arif, 'hij werd naar een kamp gebracht en na de oorlog is hij hier nog terug geweest. Maar toen Helena hier vlak na de oorlog kwam, was hij nog niet terug. In Langgur waren alleen wat zusters en die gaven haar de raad om eens rond te kijken op de werf in Toeal. Haar broer had tenslotte een functie bij de botenbouw gehad. Maar ze heeft hem daar niet gevonden. Hij bleek naar Ambon te zijn gebracht en is nooit teruggekomen. Ze ontmoette hem op de werf Nyong en zo gebeurde het. Het was een chaotische tijd. Er waren moeilijkheden, het is niet goed gegaan tussen hen.'

Arif heeft zacht gepraat terwijl Nyong achter in het busje is blijven zitten, een inheems wijsje neuriënd alsof hij zich er niet van bewust is dat wij over hem praten.

'Waar is Helena nu?' vraag ik terwijl ik me naar hem overbuig en hij antwoordt: 'Nyong praat er liever niet over. Ze kreeg een kind en niet lang na de geboorte is ze op een boot gestapt, ze was opeens verdwenen. Hij is haar nog nagereisd. Heeft haar gezocht op Ambon en zelfs verder weg, in Soerabaja. Maar niets gevonden en nooit meer van haar gehoord.' Hij legt zijn linkerhand op zijn hart en fluistert: '*Sakit hati*!' Later zegt hij op normale gesprekstoon: 'Maar de zoon is nu al volwassen en getrouwd. Hij heet Frederik, hij heeft vijf kinderen en drie van die kinderen zijn blond, net als Helena.'

'Roodachtig blond?' vraag ik. Want zo zijn er heel wat in Indonesië, vooral in gebieden waar de voeding eenzijdig is. Die haarkleur is voor artsen een waarschuwing. Maar soms heeft de haarkleur niets te maken met een slechte gezondheidstoestand. Ambitieuze moeders wassen het haar van hun kinderen met as van verbrande kokosnoten. Ze smeren de kinderschedeltjes daarmee in zodat de haren een roodachtig koperen gloed krijgen. Het komt zelfs voor dat de haren wit worden.

'Nee, niet roodachtig blond,' zegt Nyong ineens. Hij schiet naar voren en blaast weer driftig zijn rook in onze nek, 'ze zijn echt blond, vlasblond.'

Van die term kijk ik op. Het klinkt zo door en door Nederlands.

'Het was de haarkleur van Helena,' zegt Nyong. 'Vlasblond noemde ze het zelf. Mijn kleinkinderen hebben datzelfde haar. Nou ja,' voegt hij er eerlijkheidshalve aan toe, 'drie zijn de *anak anak mamma* en twee zijn de *anak anak pappa*. Drie vlasblond en twee zwart zoals ik toen was.'

Arif stopt voor een houten huis op palen. Het is redelijk groot. Zou het de vroegere pasanggrahan kunnen zijn die nu ingebouwd tussen andere huizen ligt?

'De pasanggrahan zou halverwege de heuvel moeten liggen,' zeg ik weifelend, 'zitten we niet te laag?'

'Nee,' zegt Arif, 'dit is niet de pasanggrahan. Het is het huis van Nyong. Maar Ibu gelooft niet echt dat Nyong drie anak anak mamma heeft met haar van *vellas bellond*. Ze kan nu zelf kijken.'

We springen het busje uit en daar zijn ze, vijf kinderen, waarvan er drie inderdaad vlasblond haar hebben en zelfs de bijbehorende lichte huid met sproetjes. Het lijken ondergeschoven kindertjes, maar de moeder is puur Indonesisch en trekt haar vijftal na een paar minuten onzacht het huis in alsof ze bang is dat ik slechte bedoelingen heb. Frederik zelf werkt buitenshuis. Ik krijg hem niet te zien. Hij is een gewone Keiees. Hij is 'overgeslagen', zegt Nyong berustend, wel jammer, maar het is toch goedgemaakt in drie van zijn kinderen.

Ik maak bewonderende tsssjjj!-geluiden.

'Het is echt vlasblond,' geef ik toe. Het haar hangt ook mooi slap en sluik, echt Hollands. Dat roodblonde haar van het voedseltekort is bijna altijd grof en kroezend, niet te vergelijken met vlasblond.

Tevreden dat ik het nu geloof, springen de mannen weer in het busje. Ik ga naast Arif zitten en Nyong gaat dicht tegen onze rug aan zitten al is er volop plaats achterin. We rijden nu heuvelopwaarts. Halverwege de top zoeken we nog eens alle huizen af. De oude pasanggrahan zal wel niet meer in gebruik zijn. Er zijn verscheidene losmens in Tual. Er is zelfs een hotelletje. Een pasanggrahan heeft men eigenlijk niet meer nodig.

Arif en Nyong springen om beurten van hun zitplaats om hier en daar bij bekenden en onbekenden te informeren. We leggen vaak aan bij een koffiestalletje en men begint meteen de koffie voor ons te zetten. Op sandalen slifsloft de bevolking, op weg naar het marktje, langs ons heen terwijl we op de rand van het trottoir aan een wankel tafeltje wachten op onze bestelling. Nyong koopt van zijn eigen geld een paar stukken gifgroene cake. Het smaakt naar noten en aarde, een lucht van verschimmeling die toch niet tegenstaat, misschien doordat de koffiegeur boven alles uitstijgt. Maar ook de eigenaar van het stalletje weet niet waar de vroegere pasanggrahan ligt. Misschien, denk ik sceptisch maar desondanks tevreden, weet heel Tual precies waar dat gebouwtje ligt. Maar ze zijn mij ter wille. Ze zijn ook Arif en Nyong ter wille. Het zou toch jammer zijn als de pasanggrahan vandaag al werd ontdekt. De tocht, waarbij ik Tual van binnen en buiten leer kennen, kost zes gulden per uur en morgen is er weer een dag tenslotte.

Yekki

Yekki ontmoet ik bij de Parawisata waar ik de volgende dag even langs laat rijden om te zien of ze daar, bij de plaatselijke toeristenvereniging, een plattegrond van Tual hebben en iets weten van een vroegere pasanggrahan. Maar ze hebben daar geen stratenplan en geen kaart van Kei Kecil. Ze weten niets van een pasanggrahan van veertig jaar geleden. Alles wat ze te bieden hebben is een jong meisje met een enorme bos zwart haar en een manier van bewegen die doet denken aan een goed gedrilde soldaat.

Ongevraagd stapt ze in mijn busje, niet achterin bij Nyong maar voorin bij mij en Arif. Ze duwt me opzij met een harde hoekige heup.

Ze wijst ons de weg, dáár moeten we heen, híer de hoek om, dáár stoppen en inlichtingen vragen. Vooral parkeren bij dat winkeltje, daar zitten mensen die van alles weten, ze verkopen zelfs boottickets naar Kei Besar, het eiland Groot Kei, daar wonen haar ouders, ik moet daar beslist naar toe. Het is een groter en mooier eiland dan Kei Kecil.

'Dat is wel een goed idee,' zeg ik, 'maar eerst wil ik hier in Tual de pasanggrahan vinden en de school en het vroegere woonhuis van mijn vader.' Ik voel wel dat ik bij haar mijn poot stijf zal moeten houden.

'Waar wonen je ouders, Yekki?'

'In Ngefuit,' zegt ze.

Ze keert zich nu naar Arif en Nyong. 'Hoeveel vragen jullie voor zo'n uurtje rijden door Tual? Wat? Zesduizend roepia per uur! Bijna zes gulden! Dat is veel te veel! Het is een schande om een toerist zo af te zetten. Weten jullie niet dat de Kei-eilanden het moeten hebben van het toerisme?

Arif mompelt wat. Kwaad trapt hij het gaspedaal dieper in en we scheppen bijna een voetganger met een mand vis op het hoofd.

'Hoeveel verdien jij bij de Parawisata?' vraag ik, nu we blijkbaar zonder gêne kunnen praten over geldzaken.

'Dertienduizend en vijfhonderd roepia,' zegt ze.

'Per week?'

'Nee, per máánd natuurlijk. Maar ik verdien extra met het begeleiden van toeristen, dat is mijn voornáámste werk. Ik kan Ibu alles vertellen wat ze wil weten. Nog een geluk dat U naar ons bent toegekomen. Ik neem U alle zorgen uit handen en zal elke dag iets voor U regelen. De stranden, de baaien, het museum bij Dulah. Mijn broer zorgt wel voor een busje, dan bent U veilig.'

'Hoeveel kost dat dan?' vraag ik.

'Dat komt later wel in orde,' zegt ze met een wegwerpend handgebaar en ik begrijp dat het beduidend meer zal zijn dan de zes gulden per uur die Arif vraagt.

'Yekki, luister...' begin ik.

Maar zij heeft zich omgedraaid naar Nyong en onderhoudt hem over zijn ogenschijnlijk nietsdoen. Ze blijkt te weten dat hij eigenlijk in de botenbouw werkt. Ze is ervan op de hoogte dat Nyong een opdracht voor het bouwen van een boot heeft aangenomen en ze vindt dat we hem nu maar bij zijn werkplaats moeten afzetten. Hij mag niet zo lui zijn en moet eerst afmaken wat hij is begonnen. Nyong zit weer wrokkig in een hoek van het busje en zegt geen woord meer dan de mededeling dat hij wacht op een onmisbaar onderdeel voor zijn werk, een *enfak*, een speciaal soort beitel, die hij besteld heeft in Surabaya.

Op luide agressieve toon zegt Yekki dat hij het vroeger ook altijd zonder zo'n enfak heeft gedaan en dat hij een lanterfanter is.

Ze beveelt Arif om te stoppen want hier woont een kennis die vroeger op de lagere school heeft gezeten. Arif schudt zijn hoofd. Hij kan hier niet stoppen, ziet ze dan die vrachtwagen niet? Woest rijdt hij door tot de brug bij de Rosenbergengte, een smalle waterweg die het noordelijk deel van Klein Kei scheidt van het zuidelijk deel. Die brug was er nog niet in de tijd dat mijn vader hier woonde. In zijn brieven schreef hij over het pontveertje, een roeibootje waarmee hij vaak de overtocht maakte, een oude fiets tussen de knieën.

Als Arif aanstalten maakt om in volle vaart de brug over te rijden, Tual uit, herinner ik hem eraan dat we afgesproken hebben vandaag vanaf de top in cirkels omlaag te rijden en af en toe een eindje te lopen. Arif gromt, keert het busje en rijdt terug naar de top. Tweemaal sommeert Yekki hem te stoppen om ergens inlichtingen te vragen. Hij doet alsof hij het niet hoort maar zegt luid tegen mij: 'U wilt eerst naar de top?'

Als we bij de top van de heuvel komen keren we, rijden langzaam omlaag en stoppen om de paar minuten om even een zijstraatje in te lopen. Yekki blijft zitten terwijl wij ons uitsloven en mompelt als wij terugkomen boze woorden in haar eigen dialect. Ik kan wat ze zegt niet verstaan, maar het wordt voor me vertaald in het nerveuze rijgedrag van Arif. De sfeer is goed verpest sinds Yekki erbij is gekomen, maar ik weet niet hoe ik me van haar moet ontdoen. Een enkele onhandige poging faalt. 'Rij langs de Parawisata,' zeg ik tegen Arif. 'Yekki heeft wel wat beters te doen dan naar de top rijden en rond te lopen bovenop de heuvel.'

Arif rijdt bijna een ander minibusje aan door zonder richtingaanwijzer uit te zetten opeens scherp rechtsaf te slaan, regelrecht naar de Parawisata.

Simpel opgelost, denk ik al, maar dan begint Yekki zich opeens poeslief te gedragen. Ze legt een warme hand op mijn arm en drukt zich nog dichter tegen me aan.

'Nee, nee! Ik laat Ibu niet in de steek! Op ons eiland kun je als vrouw niet alleen rijden met twee van die onbehouwen kerels. Dat past niet. Laatst is een alleenreizende vrouw in zo'n minibusje vermoord en gewoon in het water van de baai gegooid. Alleen op stap gaan, dat past niet voor een vrouw.'

'Op mijn leeftijd past dat heel goed,' zeg ik kort.

'U bent wel oud,' zegt Yekki toegeeflijk, 'maar u bent nog als een kind, zo onschuldig.'

We zijn nu vlak bij de Parawisata en Arif mindert vaart.

'U wilt mij toch niet mijn gezicht laten verliezen bij mijn chef?' vraagt Yekki vleiend. Haar stem is van honing maar tegelijk is het een kinderstem die pruilt en zijn zin wil krijgen. Ik aarzel.

'Stoppen?' schreeuwt Arif gretig. Ik kijk van opzij naar Yekki. Ze ziet er haast wanhopig uit. Het lijkt of ze in tranen gaat uitbarsten.

'Nou, laat maar!' zeg ik, 'we kunnen beter eerst ergens koffie gaan drinken.'

'Bij mijn huis!' roept Nyong meteen. En dat doen we dus. Opgelucht springen we het minibusje uit bij het huis van Nyong en drinken koffie temidden van de vlasblonde kindertjes. Yekki zegt alleen: 'Je mag hier helemaal niet parkeren!'

We doen of we haar niet horen. We lachen en spelen met de kinderen.

Die ochtend vinden we de pasanggrahan niet, maar de volgende dag zitten we heel vroeg op het voorgalerijtje van mijn losmen te overwegen op welke manier we het nu eens zullen aanpakken. Iemand uit mijn losmen die op weg is naar Ambon mengt zich in ons gesprek en gooit een nieuwe naam op tafel. Bapak Bakar. Dat is toch zeker de man die we moeten hebben als we de pasanggrahan willen vinden en de school en het huis waar mijn vader later heeft gewoond? Arif en Nyong zitten even als met stomheid geslagen. Ze kunnen zich wel voor hun kop slaan! Dat ze niet eerder gedacht hebben aan Bapak Bakar!

'Bapak Bakar?' vraag ik, 'heeft hij iets te maken met het onderwijs? Hoe oud is hij? Kan hij hebben samengewerkt met het Nederlandse gouvernement?'

Dat niet, maar Bapak Bakar weet wat er te weten valt. Het kost wat tijd misschien maar dan zal hij de plaats aanwijzen.

Kost het wat tijd? Is hij dan heel oud? Heeft hij er moeite mee zich dingen te herinneren?

Hij is wel oud maar niet zó oud. Alle feiten, alle gebeurtenissen zijn opgeslagen in zijn hoofd en dat hoofd is heel helder. Maar toch kost het wat tijd.

'En een beetje geld misschien,' oppert Nyong, 'of een vette kip, een blik koffie, dat zal toch geen bezwaar zijn voor mevrouw?'

'Is hij dan een dorpshoofd, een *orang kaya*? Of heeft hij gestudeerd op Ambon?'

'Nee, niets van dat alles. Zijn vader was een visser en de zoon Bakar zou je best een visser kunnen noemen. Maar behalve visser is hij ook nog een helper.'

'Een *dukun*? Een medicijnman?' meen ik te begrijpen.

'Nee, beslist niet. Hij bemoeit zich niet met ziekte en dood. Het komt erop neer dat hij een derde oog heeft. Daarmee ziet hij dingen die anderen niet kunnen zien. Er zit een *lampu templek* achter zijn voorhoofd en die verlicht zijn gedachten.'

'Een helderziende!' roep ik.

Zo zou je het kunnen noemen, geeft men toe. Maar hij is meer een ontdekker. Hij ziet vermiste mensen en voorwerpen. Zijn hoofd zit vol kracht en klaarheid. Bapak Bakar is de man die ik moet hebben.

'Woont hij hier in Tual?'

Dat blijkt niet het geval. Dan zouden ze trouwens wel eerder aan hem hebben gedacht. Hij woont een behoorlijk eind weg, in een klein dorp. Eerst de brug over naar het zuideiland en dan is het nog een kilometer of dertig naar Ohoideertawun. Als je tenminste rechttoe, rechtaan zou kunnen rijden, maar dat kun je natuurlijk niet. Ohoideertawun ligt verscholen tussen lage palmbossen. Het ligt aan het strand waar ook de heilige grot is en de hoge rotswanden met de rode tekeningen van de voorouders. Het is een hele tocht. Je moet er een ochtend en een middag voor uittrekken maar het is de moeite waard.

'Kost het een hele dag?' protesteer ik, 'kom nou! Tual uit, de brug over, dan een kilometer of dertig. Met wat zoeken en omrijden kan het nooit meer dan veertig, vijftig kilometer worden. Misschien kunnen we het vanmiddag nog wel even proberen.'

Nyong en Arif zien dat niet zitten en vertellen mij dat onomwonden. De eigenaars van het losmen hebben een hoffelijker houding tegenover mij. Ik ben hun gast, ze willen dat ik tevreden ben en blijf. Als ik hun een voorstel doe dat hun te gevaarlijk voorkomt of dat niet haalbaar lijkt, dan blijven ze glimlachend knikken en zeggen alleen weifelend: 'Dat zou wel mogelijk zijn maar misschien wilt u er liever nog eens over nadenken? Wie weet is er een andere oplossing.'

Nyong en Arif nemen geen blad voor de mond. Ze weten dat ik wel voor rede vatbaar ben, maar dat ik graag alle voors en tegens wil weten.

In dit geval is het een tegenvaller dat het pad dat vanaf de hoofdweg door de bossen naar het dorp loopt moeilijk te vinden is. De ingang van het pad ligt verscholen tussen de pandanuspalmen en daar zijn er honderden van, allemaal gelijk. Geen bord of steen geeft de juiste plek aan. Daar houdt men niet van in Ohoideertawun. Ze zijn moeilijk te vinden en dat willen ze zo houden. Als je de weg in het kustbos niet kent, zou het weken kunnen duren voordat je het pad vindt. Er is een inwoner uit die plaats voor nodig om je de weg te wijzen.

'We bellen het dorpshoofd,' zeg ik, 'dan stuurt hij wel een mannetje om ons te helpen. Of wie weet kan Bapak Bakar voor een dagje naar Tual komen. We betalen zijn reiskosten en nemen hem mee uit eten. Zou hij daarvoor voelen?'

Nyong en Arif kijken een beetje geschokt. De eigenaar van het losmen blijft beleefd maar fronst en zegt voorzichtig: 'Wie weet. Ja, wie weet. Het is mogelijk dat hij niet zal kunnen komen.'

'Bapak Bakar,' zegt Nyong, 'zit iedere morgen bij de heilige grot. Daar haalt hij het drinkwater voor het dorp. Er is daar geen telefoon in dat dorp.'

'Maar zeker wel televisie?' Mijn ervaring is dat er eerst televisie komt in een dorp en daarna pas een wc en een badkamer of een telefoon.

Ditmaal heb ik het mis. Er is daar in dat dorp geen elektriciteit en niemand heeft behoefte aan televisie, ook het dorpshoofd niet. Het is een beetje een heilig dorp vanwege de grot en de wandschilderingen van de voorouders. Bapak Bakar is een drukbezette man. Nooit gaat hij zonder dringende reden weg uit zijn eigen dorp. Zelfs niet om vis te verkopen op de markt in Tual. Zijn kleinkinderen doen dat voor hem. Die vinden dat een verzetje en zien er niet tegenop uren heen en uren terug te lopen met een mand vol verse vis op het hoofd.

'Natuurlijk!' roept Arif, 'dat is het! De vis!' Nyong springt meteen op en schreeuwt: 'De pasar!'

Hun gedachtegang is niet moeilijk te volgen, dus ik zeg gelaten: 'Morgen dan maar. Om zes uur? Naar de vismarkt en dan naar Ohoideertawun en de heilige grot en Bapak Bakar.'

We spreken vijf uur af en geen minuut later. Want binnen twee uur zal alle vis op de markt zijn uitverkocht en de mensen uit de afgelegen dorpen zijn dan alweer op weg naar huis.

Nyong en Arif stoppen de volgende ochtend om halfzes luid toeterend voor mijn losmen. Aardig op tijd dus. Ze hebben er blijkbaar zin in. Meneer Far Far, de eigenaar, biedt eerst nog koffie aan en mevrouw Far Far vindt dat ik op mijn gemak moet ontbijten. Ik heb dan al een kop koffie gedronken en een banaan gegeten. In de vroege ochtend ben ik gauw klaar met mijn ontbijt. Maar de koffie en de banaan worden niet meegerekend. Iedereen staat op en begeleidt mij hoffelijk naar de eetkamer, waar de tafel voor mij gedekt staat.

Omdat ze het zielig voor mij vinden om in mijn eentje aan tafel te moeten zitten, schuift de hele familie met mij aan. Nyong en Arif krijgen ook een plaats aangeboden. Met z'n allen beginnen we aan de nasi goreng met gebakken eieren.

Om zes uur stapt Yekki binnen en ook zij accepteert een plaats aan tafel. Ze bestelt nog wat extra gebakken eieren en er moet een ander soort sambal komen, die een *pembantu* meteen gaat halen in de toko even verderop.

Ongeduldig stap ik als eerste in het gehuurde minibusje en als Arif achter het stuur schuift is het halfzeven. In gedachten zie ik op de pasar de verkopers alweer opbreken, hun lege manden pakken en de terugreis beginnen. 'Schiet toch eens op!' roep ik.

Wanneer we op de markt aankomen, gaan er weliswaar al

wat mensen weg en worden er matjes opgerold en blikken ingepakt maar als Arif vijf minuten heeft rondgereden en heeft geroepen: 'Ohoideertawun! Vrij meerijden naar Ohoideertawun!' komen er toch wat gegadigden op ons af.

De meesten willen een eindje meerijden naar het zuiden. Waar de weg naar Ohoideertawun aftakt, weet geen mens. Arif zet ze aan de kant, ze moeten wachten en maar zien of en wanneer onze tocht doorgaat. Alle mensen op de pasar leven met ons mee. Iedereen loopt rond en roept de naam van het dorp. Een vrouw die op een matje zit vlak bij de plaats waar ik uit het busje ben gestapt, verkoopt haar laatste vis, veegt haar handen af aan een vochtige lap, strijkt het haar weg uit haar gezicht en zegt tegen mij: 'Stap maar vast in, Ibu, u moet niet zo in de zon blijven staan.'

'Komt U van Ohoideertawun?'

'Nee, maar ik ken Ena. Ze zit daarginds. Ze zal wel mee terug willen rijden.'

Op haar gemak loopt ze naar de rand van de kleine pasar en zegt iets tegen een jong meisje dat vrij ver van ons vandaan zit. Even later drentelt ze terug, ze blijft hier en daar staan praten terwijl het jonge meisje op haar matje blijft zitten. Niet gelukt dus, denk ik.

'Nou staat u nog altijd in de zon!' zegt ze beschuldigend als ze terug is op de plek waar ik ongeduldig van mijn ene been op mijn andere spring.

'Wil Ena niet mee?'

'Jawel, Ena wil natuurlijk wel mee. Ze zal de weg wijzen naar het dorp. We moeten nog even wachten tot ze haar vis heeft verkocht. Stapt u maar vast in, mevrouw, Ena komt zo!'

Ik grijp mijn tas van de zitplaats in het busje, pak mijn beurs en ren over het verschroeide veld naar de verre plek waar Ena zit met haar laatste restje vis. Eerst begrijpt ze niet dat ik haar hele handel wil kopen, een stuk of tien flinke vissen, maar al gauw zijn we in een levendige discussie gewikkeld over de prijs. Niet afdingen zou al te grof zijn. Als we het eens zijn geworden moet ze elke vis stuk voor stuk in een koel pisangblad wikkelen en alles netjes verpakken in een gevlochten mandje dat ik bij mijn aankoop cadeau krijg. Hijgend kom ik met de vis en Ena terug bij het busje.

Arif en Nyong zitten in de schaduw van een hutje te dobbelen en zijn maar met moeite te bewegen op te houden met hun spel. Ik kan erbij komen zitten en met ze meedoen, de inzet is tenslotte niet hoog. Gehurkt zittend schuiven ze al voor me op, de wachtende passagiers met Ena in hun midden gaan al in een kring staan om toe te zien bij ons spel. Maar dan kijkt Nyong uit zijn gehurkte houding op en ziet iets in mijn rood aangelopen gezicht waardoor hij roept: 'We vertrekken! Allemaal instappen!'

Zwijgend schuif ik Ena naast Arif en wring mezelf op het plaatsje bij het portier. Ik moet toch eens proberen mijn mimiek beter te beheersen. En ik had toch eigenlijk best een potje met de mannen kunnen gaan dobbelen? Nyong zit weer achterin, samen met een tiental pasargangers die graag mee willen rijden. Het lijkt me dat er te veel mensen zijn. Zal het oude busje niet door zijn as zakken? Maar Arif heeft blijkbaar geen bezwaren. We kunnen toch geen mensen achterlaten zeker?

'Waar is Yekki eigenlijk?' bedenk ik op het laatste moment. Dat is waar ook! Yekki moet nog mee. Eerlijk gezegd zou ik haar wel hebben willen vergeten maar zo zijn de mensen hier niet. Niemand wordt hier in de steek gelaten. Er wordt geroepen en geschreeuwd. Yekki blijkt bij een kleine warong te zitten achter een groot glas roze limonade met ijsblokjes. Ze heeft geen geld bij zich en daarom heeft ze op mij zitten wachten.

Ik geef Nyong een biljet van duizend roepia en hij rent naar haar toe. Hij geeft haar het geld en rent terug naar het busje. Yekki rekent af onder gelach en druk gepraat. Daarna slentert ze op haar gemak naar ons toe. Van het overgebleven geld heeft ze voor ons allemaal snoepjes gekocht. Ze klimt achter in de bus en gaat meteen uitdelen.

We rijden over de weg die nu alweer stoffig en heet is naar het zuiden. Achter mijn rug wordt gelachen en gezongen. Yekki is daar erg populair. Het meisje Ena zit zorgelijk tussen Arif en mij in. Na veel fronsend getuur wijst ze ten slotte naar twee palmen die in niets verschillen van andere palmen. Het is het begin van het pad naar Ohoideertawun. Ons busje verdwijnt vrijwel geheel tussen de bladeren van de lage, dicht opeen groeiende palmen. Er is een pad maar het zit vol gaten. Overal liggen enorme keien. Af en toe stoppen we. 'Allemaal eruit!' schreeuwt Arif en het busje is binnen een seconde leeg. Iedereen doet zijn best het pad te effenen. Het is nog een geluk dat de passagiers zulke opportunisten zijn. Ze moeten helemaal niet in Ohoideertawun wezen. Maar nu ze de kans krijgen naar dit heilige dorp toe te gaan doen ze het toch zeker? Palmtakken worden met parangs afgehouwen, stenen opzij gegooid of gebruikt om er kuilen in de weg mee te dichten.

We hebben niet al te veel tijd verloren op de pasar maar deze weg naar het verscholen dorp, laat het dertig kilometer zijn vanaf Tual, kost ons heel wat extra uren.

Ohoideertawun

Toch nog onverwacht zwiept de laatste palmtak opzij en rijden we vanuit diepe schaduw het licht in van een open plek.

De lage pandanuspalmen maken plaats voor hoge dunne kokospalmen. Voor ons ligt een breed strand met wit poedersuikerzand. De zee lijkt onbeweeglijk, er is geen branding. Op de open plek ligt Ohoideertawun, kleine huisjes op palen, kriskras door elkaar neergezet. Tussen de huizen staat een eenvoudig kerkje met een kruis erop. Niet meer dan een paar meter van het kerkje vandaan staat een kleine moskee. Nergens is een hek of heg. Er is geen afscheiding tussen de woningen van de mensen of tussen hun godshuizen. Hier en daar zijn mensen aan het werk, ze bewegen zich als in een vertraagde film en maken geen geluid. Het is hier stil en in mijn, aan storende regelmaat gewende, ogen is het er beeldschoon. Mij valt meteen een hutje op hoge palen op, dichter bij de zee gebouwd dan de andere huisjes. Daarin zou ik wekenlang willen wonen, zonder lawaai van bovenburen, geschetter van muziek, grasmaaimachines en drilboren. Vroeg in de ochtend baden in zee en in de avonduren lezen bij het licht van een petroleumlampje.

'Ibu!' Arif wenkt mij en gaat me voor naar een huis dat iets groter is dan de andere huizen. Overal op Kei moet je je bij aankomst in een dorp eerst melden bij het dorpshoofd. Je moet je pas laten zien, je naam noemen en de reden van je

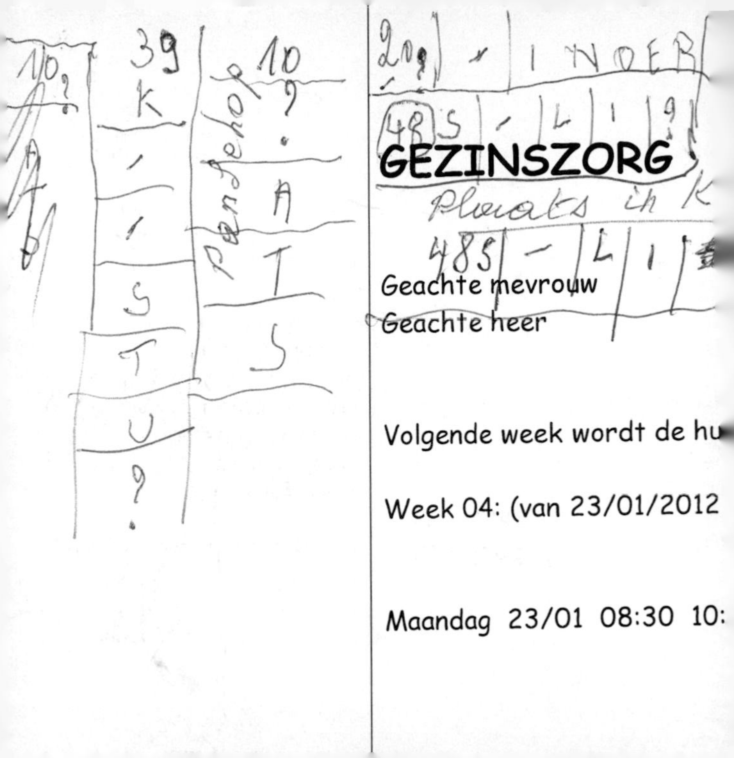
GEZINSZORG
Plaats in K
Geachte mevrouw
Geachte heer
Volgende week wordt de hu
Week 04: (van 23/01/2012
Maandag 23/01 08:30 10:

03 | 775,59.83

Bert

~~Donderdag 5 Apr~~

~~Lies Zaun~~ ~~Vrbt~~

2 uur

8/ |T|N|R|B|U|L|E|N|T|

nº 15 (11 – 17 April)

| 35 | T?I |

O
V
T
D
?
R

THEOLO/GE

OM GOED TE SORTEREN

Zak

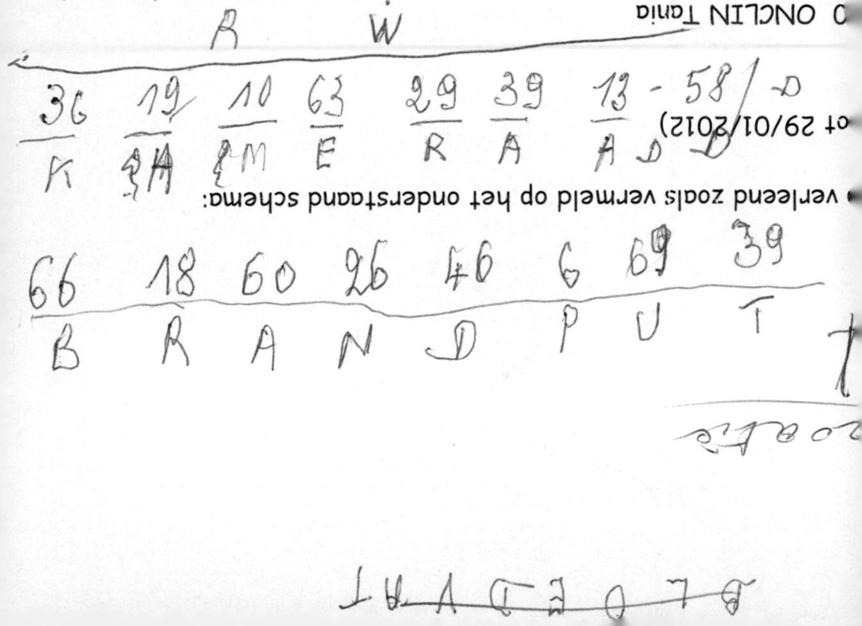
2 70 50 68 30 52 25 33
H A E D ? A R E
R W
36 19 10 63 29 39 13 - 58 -D
K A M E R A A D
66 18 60 26 46 6 69 39
B R A N D P U T

bezoek. Dan krijg je koffie of thee. Je moet vragen beantwoorden. Zelfs al zou je alleen even willen gaan zitten op een bankje in het park om een ogenblikje uit te rusten, dan nog moet de ontvangstceremonie eerst afgewikkeld worden. Het kan uren duren.

'Laten we nu meteen beginnen over Bapak Bakar,' fluister ik terwijl we antichambreren op het kleine voorgalerijtje. Het dorpshoofd komt bijna nooit meteen te voorschijn. Dat is geen onverschilligheid, integendeel. Hij wil graag eer betuigen aan voorname gasten en gaat zich daarom eerst even baden en trekt dan schone pas gestreken kleren aan. Daarna worden we hartelijk begroet, we krijgen thee aangeboden en er moet over van alles en nog wat gepraat worden. Niet alleen over het doel van ons bezoek maar ook wil men mijn mening horen over het eiland Kei en over het dorp Ohoideertawun in het bijzonder. Mijn oordeel wordt gevraagd over de prijs van de vis op de pasar en de kwaliteit van de rijst van dit jaar. Daarna wil het dorpshoofd weten of ik op Ambon zijn familieleden heb ontmoet. Ik zal me zijn broer toch zeker wel herinneren, hij woont in dat lichtgele huis op de kade. Zo gaat dat eindeloos door, een kabbelend gesprek waarbij je van het een vanzelf op het ander komt: familie, huwelijken, ziekte, dood, ongeluk en tovenarij. Is dit geen goed aanknopingspunt voor mijn vraag naar Bapak Bakar? Maar nee. Hij strekt zijn hand uit en vraagt mijn pas. Die geef ik hem en de pas gaat van hand tot hand. Er zijn heel wat handen, want het hele dorp is uitgelopen en vormt een haag om ons voorgalerijtje. Heb ik geen *surat jalan*, een speciale vergunning om in eenzame streken rond te trekken? Nee, die heb ik niet. Is dat dan nodig? Het is hier toch niet zo erg eenzaam? Met een beetje goede wil kun je praktisch de busjes over de brug naar Tual horen rijden, een kleine dertig kilometer hiervandaan. Iedereen spitst de oren en luistert even. Allemensen nog an toe, het is zo, ik heb gelijk, je kunt de busjes over de brug horen rijden, je moet er alleen even op letten. Wel moet je er goede oren voor hebben. Iedereen glimlacht nu en het dorpshoofd zet langzaam zijn zwartfluwelen *peci* af en strijkt even door zijn haar. Iedereen zucht en ontspant zich.

'Bapak Bakar!' sis ik tegen Arif, die de leiding van het gesprek heeft genomen, maar die schudt zijn hoofd. Heb ik dan niet begrepen dat het nu hoogtij is? Het water staat tot aan de rotswanden. De vooroudertekeningen zijn vanaf het strand niet te zien en de heilige grot is afgesneden. Bapak Bakar zit daar te mediteren en kan niet gestoord worden. Het zou grof zijn er met een bootje heen te varen.

Ik krijg mijn pas weer aangereikt. We zijn wat laat gearriveerd in het dorp. Het beste is om morgen heel vroeg terug te komen. Vijf uur weg uit Tual. Zeven uur in Ohoideertawun. Bapak Bakar is dan voorbereid op onze komst. Het dorpshoofd zal hem op de hoogte brengen van ons bezoek. Morgen zijn we welkom. Voor Nyong en Arif en Yekki is dit een welbestede dag. Het komt niet bij ze op dat ik mij ergens over zou kunnen beklagen.

'Goed, morgen heel vroeg dan,' stem ik toe. 'Laten we er halfvijf van maken. Dan nemen we een picknickontbijt mee in de auto en twee thermoskannen met koffie.'

Arif knikt weinig geïnteresseerd. Wie praat er nu over het eten van de volgende dag als er deze dag nog gegeten moet worden?

'We hebben voldoende vis,' zegt hij, als we afscheid van het dorpshoofd hebben genomen met de belofte morgen terug te komen.

'Ik kan van de vrouwen hier wel wat gekookte rijst kopen en misschien wat sambal en wat uien. Duizend roepia per persoon, daar zijn de klappers dan bij inbegrepen. Vindt Ibu het te veel?'

Het is niet te veel vind ik en tel drie gulden in Indonesische munt uit in zijn hand.

'Eten we rauwe vis?' vraag ik.

Maar nee, hij gaat een vuurtje maken op het strand. De vis wordt geroosterd. Daarginds bij die stapel klappers. Dat is een goede plek. Hij slaat meteen een paar klappers voor me open.

Ik kijk op mijn horloge. Het loopt tegen enen. Langs het strand zie ik Yekki lopen met lange zware passen. Ik hoor haar boze stem, die de bewoners wijst op kleine hoopjes afval. Die horen meteen verbrand te worden!

'Kunnen we vanmiddag nog naar Dian?' vraag ik.

Maar natuurlijk kunnen we naar Dian! Waarheen Ibu maar wil! Arif rijdt me overal naar toe. Vanmiddag. Na de vis en de rijst met ui en sambal. Na de klappers en een kort middagdutje. Want het belangrijkste is dat een mens eet en drinkt en voldoende rust krijgt. Voor het werk is er daarna nog voldoende tijd.

Het dorp Dian wil ik bezoeken omdat ik maanden geleden in Nederland op de televisie een documentaire over dat dorp heb gezien: *Pulang ke Kai* (Terug naar Kei). De film is gemaakt door Mary Hehuat en gaat over het leven van de Zuid-Molukse familie Letsoin, die na jaren in Holland gewoond te hebben terug is gereisd naar het geboorteland Kei.

Zodra de middaghitte iets begint te minderen rijden we naar het zuiden tot aan de rivier, waar we tegenover een ingestorte brug komen te staan. Aan de oever liggen smalle prauwen, niet veel meer dan uitgeholde boomstammen. We kunnen worden overgezet met één persoon tegelijk. Aan de overkant van het water begint meteen al het pad dat ik herken van de film. Daar is de *kuburan*, de kleine begraafplaats aan de kant van de weg, en even verderop ligt het ruime nieuwe huis van de familie Letsoin.

Ze spreken nog goed Nederlands, maar mevrouw Letsoin, die ons gastvrij thee schenkt, is niet erg te spreken over Nederland. Ze moesten daar steeds maar geld van ons hebben, vertelt ze. Toen ze ten slotte in het ziekenhuis terechtkwam moest ze dat ook zelf betalen, een verzekering hadden ze niet.

Meneer Letsoin lijkt iets ouder. Hij ziet er goed verzorgd uit. Ja, het bevalt hem wel in Dian, al is het er allang niet meer zo goedkoop als toen ze zich hier in 1986 vestigden. In de vroege ochtend gaat hij meteen naar 'de tuin' waar hij ketella verbouwt en pisang. Dat is een beter leven dan voor het raam zitten in Nederland.

Of hij hier nu gelukkig is? Hij trekt zijn gezicht in rimpels.

'Setengah-setengah.' Half-half.

Hoe bedoelt hij dat? Daar wil hij even over nadenken. Als de thee op is en de meegebrachte koekjes zijn verdeeld, kan hij het vertellen.

Een aantal kinderen is achtergebleven in Nederland. Ze komen soms met vakantie, maar ze willen hier niet meer wonen. Geen bioscopen, geen disco's, geen televisie, geen grote voetbalstadions. Ze vinden dat hier niets te beleven valt. Zijn gezin is doormidden gescheurd. Daardoor is hij voor de helft ongelukkig. Maar de andere helft is gelukkig op Kei. Het leven in Holland lijkt ver weg. Ze gaan er niet met vakantie naar toe. Maar een enkele keer eten ze nog weleens aardappelen zoals toen. Eén keer per jaar misschien want de aardappelen zijn hier niet goedkoop.

Ze hebben hier in Dian een ruim en stevig huis gebouwd met een stukje grond waarop ze van alles kunnen verbouwen. Ze halen gratis vis uit de rivier. Ze hebben hier familie en vrienden.

Pulang ke Kai is een goede beslissing gebleken.

Bapak Bakar

Best mogelijk dat Bapak Bakar geen medicijnman is en zelfs geen helderziende maar in ieder geval weet hij zich goed te verkopen.

We vinden hem de volgende dag bij de grot, waar hij urnen vult met het water uit de heilige bron. Zorgzaam zet hij die op een rijtje in zijn boomstamprauw.

Natuurlijk zijn we ook deze dag net iets te laat gekomen. Als wadlopers moeten we vanaf de kust de zee in, soms zakken we tot de knieën weg in ondiepe geulen. Een van mijn schoenen wordt vastgezogen in de modder, net op de rand van een diepe plek. Ik zie hem zinken en al zoekt Nyong er een halfuur naar, ik krijg hem niet meer terug. Dan maar de sokken uit en op blote voeten verder de dag door.

Aan onze rechterhand rijzen steile rotswanden direct op uit de zee. Met rode lijntjes zijn er vissen en krabben op getekend. Ook zijn er driehoekjes met ingetekende ogen, neus en mond. Er zijn jagende mensen, uit dunne rode lijntjes opgebouwd. Zc lijken een stok of speer in de hand te hebben. Het heeft wel iets weg van de rotstekeningen in de grotten in het zuiden van Frankrijk of die bij Altamira in Noord-Spanje. Niemand kan mij vertellen hoe de mensen vroeger de hooggelegen plekken op die lijnrechte kale rotswanden wisten te bereiken.

Bapak Bakar weet het ook niet. Zelfs met zijn derde oog kan hij de voorvaderen niet zien. Hij lijkt er ook niet in geïnteresseerd. Hij wil alleen vertellen over de heilige grot en het heel speciale water dat je hier kunt drinken. Wat doen oude pasanggrahans en vroegere schoolgebouwen er nog toe?

We leggen de *oleh oleh*, onze meegebrachte geschenken, voor hem neer. Hij kijkt er onbewogen naar vanuit halfgesloten ogen. Geen woord van dank. Onbeweeglijk blijft hij in lotushouding voor ons zitten op de harde rotsbodem, een roodbruine sarong om zijn lendenen, het bovenlijf bloot, mager en getaand. Hij heeft een haast leeftijdloos gezicht zonder veel uitdrukking. Hij staart naar de rij gifgroene cakejes die Nyong op een pisangblad heeft gelegd, naar de sirih, de tabak, de eieren en naar het dolkmes in het bewerkte leren foedraal, het zijn de spiegeltjes en de kralen van deze tijd.

Na een poosje begint hij zacht en binnensmonds te praten. Ik kan hem niet verstaan want hij gebruikt het dialect van deze streek. Wachtend op een snelle vertaling kijk ik naar Arif, maar diens mond hangt wezenloos open, kennelijk is hij diep onder de indruk van het onzichtbare derde oog. Mogelijk heeft de wat mysterieuze uitstraling van Bapak Bakar hem te pakken, want hij schudt alleen machteloos met zijn hoofd als ik vraag wat er wordt gezegd.

Nyong zit dicht bij de oude man gehurkt, zijn hoofd eerbiedig naar hem toegebogen en af en toe vraagt hij iets in dezelfde taal, luistert gespannen naar antwoord, vouwt zijn handen dankend voor zijn borst en is de enige die niet opschrikt als Bapak Bakar met een snelle beweging van zijn pezige arm onze geschenken bij elkaar veegt, ze in een slendang kiept die hij over zijn schouder legt, om dan als een jonge man overeind te springen, in zijn prauw te stappen en op zijn gemak weg te peddelen.

Door het gewicht van de met water gevulde urnen ligt zijn

prauw aardig diep. De zee komt tot aan de rand en als we hem nakijken lijkt het ons of hij zich zittend op het water moeiteloos zonder vaartuig voortbeweegt.

Verbluft blijven we even zwijgend bij de heilige grot staan. Alleen Nyong lacht tevreden. Hij heeft de helderziende natuurlijk naar de pasanggrahan gevraagd en die heeft geantwoord: 'Spiegels!' Dat is toch zeker een duidelijke aanwijzing. Of niet soms? Die man zag wat, dat was duidelijk.

Omdat mijn gedachten bij de al of niet geapprecieerde oleh oleh zijn, denk ik even dat het woord 'spiegels' op onze giften slaat. Is hij misschien beledigd? Maar de mythe van de domme inboorlingen die gepaaid worden met spiegeltjes en kralen komt uit het Westen. Hier heeft niemand ervan gehoord.

Terwijl we terugbaggeren langs de imposante rotswanden, vertelt Nyong opgewonden dat de pasanggrahan een huis moet zijn met spiegels, een nieuw hotel misschien. Mogelijk heeft men de pasanggrahan verbouwd?

Ik voel me teleurgesteld. Het theaterstukje 'Wijze man bij heilige grot' heeft nog geen vijf minuten geduurd en heeft aardig wat tijd en geld gekost. De uitkomst is een enkel woord: spiegels. Wat heb ik daaraan? Mijn westerse scepsis ten aanzien van het onzichtbare, meestal getemperd door de aantrekkelijkheid van het onvoorspelbare en het onvoorstelbare, wordt nu sterker dan ooit.

Me weer eens laten neppen, denk ik vol wrok en ik haast me met de anderen terug naar het dorp en de plek waar het busje staat.

Sathean

Overal op de wereld kom je in dorpen en steden mensen tegen die in Nederland hebben gewerkt, er zelfs lang of kort hebben gewoond. Het zijn uiteenlopende typen, al hebben ze wel iets gemeen. Ze vinden Nederland een heel prettig land vol aardige mensen, maar ze zouden er voor geen goud nog eens heen willen.

In het dorp Sathean, aan de oostkust van het zuidelijk deel van Kei Kecil, gaat het net zo. Ik wil liever niet stoppen bij het dorpshoofd, iets wat eigenlijk verplicht is als je ergens even rond wilt lopen, maar ik zie op tegen lange gesprekken. Na zo'n gesprek zullen we nog net terug kunnen rijden naar Tual voordat het donker wordt. Dan hebben we ook daar weer niets gezien of beleefd.

Voorzichtig stoppen we bij de enige man die in de middaghitte door de dorpsstraat loopt. Lange dunne spillebenen komen onder een gekleurde heupdoek uit en hij draagt een inheemse zeis over zijn schouder.

Daar gaat de dood, denk ik, maar ik zeg het niet hardop. De mensen die met mij in het busje zitten hebben nooit die mij zo bekende afbeelding van de dood met de zeis gezien, het zegt hun dus niets. Elke reis merk ik weer hoe het opgroeien en het wonen in een bepaald deel van de wereld mijn leven kleurt. Allerlei dingen, zelfs wat ik maar half bewust opmerk, beïnvloeden mijn gedachten en daardoor mijn conversatie en mijn stemming. Om een beetje zinvol te kunnen praten met mensen in andere landen moet ik de meest voor de hand liggende gespreksstof laten vallen. Ik moet kappen met alles wat ik heb geleerd op Nederlandse scholen, liedjes die iedereen leek te kennen, een tot spreuk geworden opmerking van Koot en Bie. De paplepel en alles wat daarmee is aangereikt, moet ik afzweren.

Met vreemden moet ik alleen praten over de kleine kring land om de eigen voeten. Tot mijn verrassing roept de man met de zeis uit zichzelf een groet zodra hij mij uit het autoraampje ziet leunen.

'Hééé!' roept hij en zwaait enthousiast. In één adem gaat hij door: 'Geef mij maar Amsterdam!' 'Stop eens!' roep ik tegen Arif, die fronst bij het geluid van onbegrijpelijke kreten die hij interpreteert als een gebrek aan respect voor ons gezelschap.

De magere man komt meteen naar onze auto toe en leunt over het openstaande portier bij mijn zitplaats. Ik krijg meteen alles te horen over zijn verblijf in Nederland – hij is er twintig jaar gebleven! – zijn moeilijke beginjaren, de problemen met de Nederlandse taal, zijn werk in de fabriek.

Hij heeft zijn naam nog niet genoemd, hij heeft nog niet gevraagd naar de onze. Hij heeft ons geen kans gegeven op de gebruikelijke begroeting: Waar gaat u heen? Is uw tuin ver hiervandaan? Onderbroken door gelach en gehijg komt een lange woordenstroom op me af: 'Terwijl ik nota bene nog nauwelijks tien minuten binnen was!' roept hij in goed Nederlands, 'ik liep meteen tegen de baas aan! Die had het te druk om te zien dat hij een nieuweling voor zich had. "Ga jij eens als de bliksem een hamer voor mij halen!" schreeuwde hij. En ik er als de wiedewip vandoor!'

'Verstond u hem dan wel?'

'Ik verstond geen woord Nederlands. Ik moest alles nog leren. Maar ik begreep best uit zijn gebaren en uit de toon van zijn stem dat ik *lekas lekas*! iets te pakken moest zien te krijgen om dat als een trouwe hond bij hem te apporteren. Maar wat? Een hamer? Had ik nog nooit van gehoord! Dus ik ren weg en roep tegen al die onbekende gezichten daar in de fabriek: "Een hamer! Hamer! Hamer!" Iemand stopt me iets in de handen en als een hond bracht ik dat ding naar de baas. Het eerste Nederlandse woord dat ik leerde: hamer! En ook: als de bliksem! Vergeet ik nooit meer. Want de belangrijkste dingen leer je niet uit een boekje, hoor, of op een van die cursussen die ze daar geven. Je leert ze in doodsnood, ronddravend in de fabriek, goed lettend op de lichaamstaal van de mensen om je heen. Niets aantrekken van het gelach maar gewoon blijven vragen: wat betekent dat? Uit je doppen kijken en als de wiedewip en zat als een kanon en sodeju en maak me nou wat! Het staat nergens geschreven mevrouw!'

'Kom er 'ns om!' zeg ik.

Hij schatert van het lachen: 'Dat is spreektaal. Zie maar hoe je dat leert op zo'n fabriek! En het is me toch gelukt, hoort u wel? Ik leerde niet alleen apporteren als een hond, maar ik leerde ook de taal zoals een hond die leert. Af, schreeuwt de baas kwaad en de hond kruipt in elkaar op de grond. Want zo leer je het toch?'

De man is zo dolgelukkig dat hij eindelijk zijn ei eens kwijt kan, dat hij zich geen seconde laat onderbreken. Maar ten slotte lukt het Yekki. Ze is uitgestapt en duikt op pal naast zijn linkerschouder.

Ze luistert niet naar zijn woordenstroom, waar ze trouwens geen woord van kan begrijpen. Met uitgestrekte hand en gebiedende wijsvinger vraagt ze onze aandacht voor de blote voeten van onze nieuwe kennis. Haar mond maakt luide, alles overstemmende en duidelijk afkeurende geluiden. De man met de zeis valt even stil en duwt haar dan een eindje van zich af.

'Blote voeten!' schreeuwt Yekki. 'Niemand loopt in dit land nog op blote voeten! Heeft u niets gehoord over infecties? Kunt u wel zo'n dure sarong kopen en heeft u dan geen geld meer voor een paar plastic sandalen? Alleen bedelaars lopen op blote voeten en op Kei zijn geen bedelaars. Dat is slecht voor het toerisme. Wat moet Ibu wel denken? Ze denkt dat dit een achterlijk gebied is, waar mensen op blote voeten lopen zoals in de binnenlanden van Irian Jaja! Ik schaam mij! Wij schamen ons allemaal!'

De man met de zeis ziet er beteuterd uit. Het is of hij een niet verwachte klap in zijn gezicht heeft gekregen. Ook ik ben even van mijn stuk want voor haar doen gaat Yekki nu wel de perken te buiten. Nyong is Yekki achternagegaan, trekt haar aan haar mouw en fluistert haar iets toe. Ze slaat driftig naar hem alsof hij een hinderlijke vlieg is, maar ze keert zich gelukkig even af.

'Woont u hier in Sathean?' vraag ik haastig aan de man op blote voeten.

'Zeker, mevrouw,' stamelt hij. 'Neemt u mij niet kwalijk, ik wilde niet onbeleefd zijn. Ik heet Jacobus.' Hij noemt een familienaam die op Kei zeer goed bekend staat en wijst in de verte.

'Wilt u misschien bij mij iets komen drinken? Mijn vrouw zal graag kennis met u maken.'

Ik heb me van de voorbank laten glijden en vraag hem in te stappen. 'Heel graag,' zeg ik en ik noem de namen van Arif en Nyong. Arif keert de wagen na een paar woorden met onze nieuwe passagier gewisseld te hebben en Nyong springt haastig achterin. We scheuren meteen weg.

Schreeuwend rent Yekki achter ons aan. De man uit Sathean zit ineengedoken op de voorbank. Hij wijst: 'Daar is het. We zijn er bijna!'

We zien een groot huis met een voortuin vol bougainvillea en hoge alamandastruiken. Er is een hek van gespleten bamboe en daar staat een klein vrouwtje met een vrolijk, open gezicht te wachten. Ze draagt een westerse bloemetjesjurk.

'Martha!' roept Jacobus, 'dit is een Hollandse mevrouw. Ze komt niet uit Rotterdam maar dat geeft niet. Ze is gekomen om thee bij ons te drinken.'

Ik stap uit en wil de uitgestrekte hand van de vrouw grijpen, als Yekki ons inhaalt en mij snikkend om de hals valt.

'You don't understand!' roept ze gesmoord, 'we must educate these people. It is my job!'

'I understand, Yekki,' zeg ik, maar eigenlijk ben ik te moe en te verhit om waar dan ook begrip voor te hebben.

'We gaan nu eerst thee drinken,' zeg ik daarom. Maar meteen voeg ik er vinnig aan toe: 'Don't spoil my day!'

Ze kijkt me verschrikt aan en wrijft met een zakdoekje over haar opgezette gezicht.

'Ibu, I take care of you!'

'Okay, okay!' zeg ik en grijp de hand van het glimlachende mevrouwtje bij het hek. Ze trekt me vriendelijk naar binnen. We gaan een paar trapjes op naar een koele voorgalerij, waar we donkere geurige thee met ijsblokjes te drinken krijgen. Iedereen praat en lacht. Yekki zit alweer stralend te converseren met een slanke olijfkleurige man. Ze knikt me vrolijk toe en ik knik zo vriendelijk mogelijk terug. Er is helemaal niets aan de hand.

Pulau Kapal

Martha en Jacobus hebben nog wel goede herinneringen aan Nederland. Martha heeft zelfs nog weleens heimwee. Hoewel. Misschien is het niet zozeer heimwee naar het koude land met zijn gesloten huizen, instellingen waar je eindeloos formulieren moet invullen, een flatje met gashaard en televisie. Als puntje bij paaltje komt blijkt het meer heimwee naar de twee zonen die nog steeds in Nederland zijn en daar willen blijven omdat ze er een goede baan hebben en ook wel omdat ze houden van disco's en bioscopen die er nu eenmaal niet zijn op Kei. Martha omhelst mij steeds en de tranen lopen over haar wangen.

'Alles komt weer boven,' zegt ze en Jacobus troost: 'De jongens komen binnenkort weer met vakantie.'

Ik zeg: 'Zo'n huis als u hier hebt, met die veranda rondom, die prachtige tuin, de rust en stilte, waar vind je dat in Nederland? Misschien is het er wel te vinden, maar dan is het praktisch onbetaalbaar.'

Ze hebben er ook geen spijt van dat ze zijn teruggegaan naar Kei, al vinden ook zij dat alles veel duurder geworden is de laatste tijd. Ze hebben hier familie. Ze kennen iedereen in Sathean.

Martha geeft me nog wat *embal*, witte cassaveballetjes die prettig op de tong liggen en verder naar niets speciaals smaken. Ze geeft me wit brood dat ook naar niets smaakt maar wel naar een bekend niets. Ze zet pisangs neer en een schotel met stukjes gebakken vis.

Yekki komt er meteen op af en begint er razendsnel van te eten. We hebben een klein ontbijt en later een uitgebreider ontbijt gegeten in de auto. In het losmen heeft men ons van alles meegegeven: rijst en gebakken pisangs en gebakken eieren en stukken kroepoek. Ook was er de hele dag volop koffie met een soort doordeweekse spekkoek. Maar het lijkt of Yekki altijd honger blijft houden en of ze bang is dat alles wat ze krijgt voorgeschoteld het laatste is dat haar in dit leven zal worden aangeboden. Zelf ben ik bang dat we met z'n allen de lunch en het avondeten opeten van Martha en Jacobus. Moeten we niet eens opstappen? Omdat Bapak Bakar zo gauw met ons klaar was, zijn we doorgereden naar Sathean omdat in de buurt van dit dorp het eilandje Pulau Kapal (Schip Eiland) voor de kust ligt. Over dat eilandje heb ik iets gelezen in het boek *Maluku* van dr. Kal Muller. Vanaf het strand achter het huis van Martha en Jacobus kun je dat eiland zien liggen. Het is niet veel meer dan een oude rots in zee, het heeft de vorm van een boot en met die boot, zo zegt de legende, zijn de voorvaderen vanuit Bali hierheen komen varen. Op de top van de rots is een plateau met een verwilderde tuin. Niemand kan mij vertellen wie die tuin daar ooit heeft aangelegd. Er groeien palmen, bougainvilleastruiken, orchideeën. Bij de boeg van de boot is een ladder aangebracht waarvan de sporten zo'n meter uit elkaar liggen. Het moeten reuzen zijn geweest die vanuit de zee naar boven klommen. Voor gewone mensen is de ladder onbruikbaar.

Ik wil per se naar dat eiland toe en dan landen bij een rotsspleet waar een opening lijkt te zijn. We rijden erheen met Jacobus.

Nyong en Arif blijven aan het strand in de buurt van het busje, waaraan ze altijd wel wat te repareren hebben. Martha heeft bezigheden in huis en dus loop ik met Jacobus en

Yekki langs het strand en wenk een paar jongens die met zo'n primitieve uitgeholde boomstam aan het varen zijn. Ze peddelen wat vrijblijvend langs de kust en proberen elkaar overboord te werken. Ze zijn best bereid mij naar Pulau Kapal te brengen. Jacobus is ertegen. Hij woont hier nu alweer jaren maar is nog nooit in zo'n wankel bootje gaan zitten. Yekki kijkt ongerust naar haar schoentjes en witte jeans. Ik kan met haar meevoelen, want zo ver liggen de jaren van de mooie schoentjes en de onberispelijke witte jeans nu ook weer niet achter me. 'Nee,' zegt Yekki. '*Takoet*!' Ze is bang.

Ik ben intussen in het bootje gestapt en de jonge prauweigenaren zetten meteen af; vooral omdat er nu van alle kanten opeens spelevarende jongens opduiken, die snel naar ons toepeddelen. Je moet jezelf wel in balans houden. Ik durf pas om te kijken als we al halverwege het eiland zijn en ik een beetje gewend geraakt ben aan de bewegingen van de prauw.

Jacobus loopt zenuwachtig heen en weer langs de oever maar Yekki laat zich niet kennen. Ze heeft haar schoentjes uitgedaan en stapt aarzelend in een tweede prauw. Ik schreeuw bemoedigend tegen haar en wuif zo heftig dat we bijna omslaan.

'*Awas*!' zegt de jongen met de grootste peddel, 'voorzichtig! Er staan hier sterke stromingen!' Ik zie nu dat zijn peddel niet meer is dan een losse plank waar de spijkers nog in zitten.

De rotsspleet waar we landen mondt uit bij een open grot waar schedels van voorouders liggen. Zodra ik belangstelling toon voor die schedels en hun herkomst, verandert er iets in de houding van de oudste van de twee jongens. Hij lijkt me niet ouder dan een jaar of tien maar binnen enkele seconden is hij een paar jaar gegroeid. Hij rekt zich uit, er vormt zich een autoritaire plooi om zijn kindermond en hij zet zijn voeten wat steviger op de rotsbodem, alsof hij kilo's zwaarder is dan even daarvoor. Voor zover dat mogelijk is wordt hij door mimiek, houding en gebaren opeens van jongen tot man.

Hij verklaart dat hij een gids is en mij alles kan vertellen over dit mysterieuze eiland. Hij wijst me op het diffuse licht dat in de spleet hangt. Kijk naar die fijne deeltjes stof die in de lucht hangen en glinsteren in de zon. Het is zielenstof. Van de voorvaderen natuurlijk. Dit is een heilige plaats, waar jarenlang de doden werden begraven. Naakt werden ze in grote boombladeren gewikkeld en in een eenvoudige prauw gelegd. De prauwen werden hier op het eiland neergelegd in de rotsspleten. Na vele jaren werden dan de gebleekte beenderen verzameld en de schedels werden op richels geplaatst. Het eiland was het hiernamaals van de doden. Niet van alle doden maar bijvoorbeeld van de kinderen die in het dorp zijn gestorven. Zielen van kleine kinderen hoeven niet zo ver weg te gaan, ze mogen dicht bij de familie blijven.

'Wanneer zijn ze daarmee opgehouden?' vraag ik en steek Yekki een helpende hand toe. Ze stapt bezweet en natgespat en kennelijk kwaad op mij uit de prauw.

'Hou je mond!' zegt ze tegen de jongen, die Tanno heet. Zijn vriendje is in de prauw blijven zitten, klaar om meteen weg te peddelen als de nood aan de man komt.

Tanno stoort zich niet aan Yekki. Hij loopt alleen op een handige manier om mij heen en zorgt ervoor dat ik tussen hem en Yekki in blijf staan.

'Ze moesten wel ophouden toen dit eiland vol was,' zegt hij, 'de zielen van de voorouders nemen veel plaats in. Ook hebben ze elk recht op een stukje grond om te bebouwen. Wat u daar in dat zonlicht ziet glinsteren is zielenstof. De lucht zit hier vol zielenstof. Hier is het dodenrijk. Iedereen mag er in, het is hun *gassub*, hun zieleneiland. Nou ja, de allerarmsten komen er misschien niet in, want die hebben geen familie die offerfeesten voor hen houdt. Alle anderen kunnen naar binnen. In het begin, als ze hier aankomen, zijn de zielen nog zwak, maar ze worden gesteund en geholpen door de zon. Ze worden gevoed met een mengsel van spinnen, rupsen en kevers totdat de ziel groot en sterk is geworden en zelf weer het land kan gaan bebouwen.'

'Je verzint het!' schreeuwt Yekki, 'hou je mond!' Ze probeert hem, om mij heen reikend, een mep te geven op zijn ongekamde hoofd.

'Och, laat toch, Yekki,' zeg ik, en in het Engels dat ik soms met haar spreek als een eretaaltje dat niemand anders dan wij tweeën verstaat, voeg ik er nog aan toe: 'If not true, what the hell, it's a good story.'

'Not good story!' protesteert Yekki. 'I will tell you, Ibu, I will tell you the truth!'

'There is no truth,' zeg ik zorgeloos, want de rozerode rotsspleet die vol zielenstof hangt geeft me haast een gevoel van high zijn. Alsof ik veel goede wijn gedronken heb of net prima hasj heb gerookt.

Gelukkig wordt Yekki afgeleid door Jacobus, die nog aan land staat, de schoentjes van Yekki zorgzaam in zijn linkerhand. Hijgend klim ik naar een wat hoger gelegen rotspartijtje. Daar kan ik nog net de voet grijpen van Tanno, die al op weg is naar de top waar hij me wil laten zien wat de zielen daar allemaal verbouwen voor hun imposante feestmaaltijden.

'Tanno,' zeg ik, 'de tijd is voorbij dat ik langs loodrechte rotswanden omhoog kon klimmen naar de akkers van de zielen. Jongens als jij moeten dat doen en erover vertellen aan de ouderen. Van wie heb jij de verhalen over de voorvaderen gehoord? Van je vader?'

Tanno knikt en gaat naast me zitten. Hij laat een groene

kever over zijn blote arm lopen. Vertrouwelijk zegt hij: 'En van mijn grootvader. Die vertelde dat de zielen overdag op hun akkers mogen werken. 's Nachts slapen ze in het gras. Behalve de zielen van de mensen die verdronken zijn. Die staan in het donker tot hun middel in het water. En de zielen van de mensen die zelfmoord hebben gepleegd door zich te verhangen worden 's nachts met haken opgeknoopt aan boomtakken of uitstekende rotspunten. Het is beter geen zelfmoord te plegen, zegt mijn grootvader. Ik ben veel op het water en daarom ben ik ook altijd de eerste die het hoort.'

'Wat hoor je dan?'

'Ik hoor muziek die van het zieleneiland komt en ook feestgedruis. Dat is een waarschuwing. Het betekent dat binnenkort een belangrijk man in de kampong sterft.'

'Ibu!' roept Yekki vanaf de plek waar de prauw ligt. 'Kom naar beneden! Laten we teruggaan, Ibu, dit is niet de echte wereld.'

Aan de kust zie ik Jacobus staan. Hij tuurt naar ons met één hand boven zijn ogen en maakt een gebaar dat ik niet kan duiden. Omlaag dan maar weer, al zou ik hier eigenlijk best uren willen blijven zitten luisteren naar de verhalen van Tanno's grootvader of naar de verhalen die Tanno gewoon ter plekke verzint, wat maakt het uit.

Kleine waterdrop'len

Het blijkt dat er in Tual een hotel is dat vol kleine spiegels hangt, maar het ligt laag, haast aan zee en kan dus niet de verbouwde pasanggrahan zijn.

Mevrouw Far Far brengt mij naar een familielid die een *tukan jait* is, iemand die in één dag een bloes of een lange broek voor je in elkaar zet. Zij heeft vroeger in de klas gezeten bij meester Zikken. *Betul*! Het is waar! Voorlopig wil ik me niet blij laten maken met een dode mus, maar wel ga ik voor de goede zaak naar de pasar en koop daar een lap stof voor tien gulden. Daarmee ga ik naar de naaister en leg haar uit wat mijn bedoeling is: lange mouwen natuurlijk, zoals alle vrouwen hier het dragen en een beetje ruim, want het moet niet te gauw aan je lijf gaan plakken. Ze is een opgewekte vrouw en ze houdt vol dat ze bij mijn vader in de klas heeft gezeten. Als dat zo is, dan heeft ze er blijkbaar weinig opgestoken. Ze spreekt geen woord Nederlands en de liedjes uit de bundel *Kun je nog zingen, zing dan mee* worden met hilariteit en instemming ontvangen als ik ze voorzing, maar ze lijken geen herkenning op te roepen en van meezingen is dan ook geen sprake. De bloes kan er mee door, maar verder ben ik van dit contact niets wijzer geworden.

Met Arif rijd ik nog naar het noorden, in de richting van het dorp Dulah. We komen pas tegen de middag aan, want we moeten eerst langs het haventje om Nyong op te halen en hij staat er op mij eerst zijn werkplaats te laten zien en mij omstandig uit te leggen hoe een boot gebouwd dient te worden. Op het strand ligt het geraamte van een boot, al maanden wachtend op de onmisbare enfak die uit Surabaya moet komen. Nyong wijst me op een vage vlek op een van de spanten. Daar moet ik nu eens goed op letten! Wat denk ik daar nu wel van?

'Het is een vlek,' zeg ik weinig geïnteresseerd, 'lijkt op een spettertje verf, menie misschien?'

Maar dat meent de Ibu natuurlijk niet! Een spatje verf? En hoe zou dat hier dan wel terecht kunnen komen? Hij, Nyong, heeft nog helemaal niet met verf gewerkt en nu staat daar een duidelijk maar wel erg geheimzinnig teken op een van de spanten van de boot! Hij kijkt me aan met een uitdagend hoofdgebaar van 'nou jij weer!'

'Het lijkt mij meer een vlek dan een teken,' hou ik koppig vol. 'Misschien heeft een van je vrienden je willen plagen?'

'Ha! Nu komen we in de buurt! Het is misschien wel een soort plagen! Maar welke vriend zou dat nu willen doen? Met verf knoeien op zo'n nieuwe boot! Dat heeft toch geen zin. Nee, het is duidelijk. Dat teken is daar gemaakt door een geest. Wie weet was het iemand die zich verveelde in het dodenrijk. Hij is jaloers op de levenden, die nog vrij rondlopen en boten mogen bouwen om ermee te gaan varen. Hij zet een teken op een van de spanten. Wat zou hij daar mee willen zeggen?'

'Geen idee!' zeg ik, 'ga je nog mee naar Dulah, Nyong? Een andere keer vertel je me maar eens het verhaal van de vage vlek. Ik heb er nu geen tijd voor, want we gaan op bezoek bij iemand die misschien bij mijn vader op school heeft gezeten.'

Ik ga vast in het busje zitten en Nyong springt achterin. Als ik me omdraai, een beetje beschaamd over mijn ongeduld, zie ik dat zijn ogen glinsteren. Er ligt een half uitdagende, half beschaamde glimlach om zijn mond. Hij lijkt op een jongetje dat het maar eens probeert bij zijn moeder, maar beseft dat het deze keer niet is gelukt. Gisteren wist hij niet zoveel te zeggen toen ik hem na het verhaal van Tanno over het zielenrijk allerlei vragen stelde. Heeft hij in de loop van de nacht iets bedacht? Hij lijkt een beetje teleurgesteld en eigenlijk is het toch wel aardig geprobeerd.

'Als we terugkomen van Dulah,' zeg ik, 'moeten we die kwestie van de rode vlek op je boot nog eens goed onderzoeken.

Maar nu wil ik eerst iemand vinden die weet waar de school lag en die mij de oude pasanggrahan kan aanwijzen. Begrijp je, Nyong?'

Nyong knikt. Hij begrijpt het. Alle verhalen over de schimmen uit het dodenrijk die kleine jongens ontvoeren omdat ze graag wat gezelschap willen, die bewaart hij voor later want hij weet dat Ibu ze graag wil horen. Vandaag gaan we eerst naar Dulah en dan vinden we vanzelf de pasanggrahan.

'Bedoel je dat ze kleine jongens ontvoeren en dat die dan zomaar verdwijnen?' vraag ik, ondanks mijn haast, toch geïnteresseerd. Maar hij gaat onverschillig naar buiten zitten kijken, waar tussen de palmbomen houten huisjes staan en de slaapmatten in de zon liggen. 'Vandaag is niet de goede dag voor die verhalen,' mompelt hij met iets van triomf in zijn stem. Terechtgewezen kijk ik weer voor me. We moeten nu eerst nog even langs het kantoor van het toeristenbureau om Yekki op te halen. Op haar moet altijd lang gewacht worden. 'Opschieten, Arif!' roep ik. In het noorden wil ik een dorpshoofd opzoeken van een kampong in de buurt van Dulah. Van hem vertelt men dat hij altijd Hollandse liedjes zingt en wie weet heeft hij die geleerd op de school van meester Zikken. We hoeven geen spijt te hebben van onze tocht, want de *kepala desa* van Ngadi ontvangt mij enthousiast. Hij leidt ons over het strand, waar tripang, zeekomkommer, in grote bruine vlakken op het zand ligt te drogen naast rijen aan een lat geregen bladeren van de sagopalm die moeten gaan dienen als dakbedekking.

Als ik naar Hollandse liedjes vraag, begint hij meteen met forse stem te zingen: 'Kleine waterdrop'len, kleine kor'len zand, vormen saam de grote zee en het schone land!' In jaren heb ik niet meer aan dat liedje gedacht. Maar hij heeft het geleerd op de HIS, de Hollands-Inlandse School, geleid door een katholieke priester.

Yekki loopt langs het strand en wijst de dorpsbewoners weer op hoopjes as waarin nog onverbrande resten afval liggen. Ik hoor haar snibbige stem boven het gesputter van de dorpsmensen uit. Maar de zon valt in schuine strepen op mijn rug, we zitten tussen de palmen in de tuin van het dorpshoofd te eten en het sap van vers opengekapte klappers druipt langs mijn kin. De kleine waterdrop'len en kor'len zand vormen saam een heel schoon land waar mijn voeten graag op staan. En het is niet iedereen gegeven om te mogen betalen voor zijn dagelijkse ergernissen. Yekki is niet goedkoop. Ik moet dat filosofisch bekijken. Ieder mens heeft een toetssteen nodig, een obstakel voor zijn gemoedsrust, iets waarmee hij zich kan oefenen in zelfbeheersing en inventiviteit. Ik verheug me erop dat ik morgen zal kunnen aantonen dat ik haar diensten die dag niet nodig heb.

De pasanggrahan

De dag na de tocht naar het noorden van Kei houd ik een rustdag. Ik werk mijn reisdagboek bij en probeer nieuwe plannen te maken. Het blijft een vraag of het ontdekken van de pasanggrahan, bij een andere aanpak, niet net zo goed meteen op mijn eerste dag in Tual had kunnen gebeuren. Waren al die bezoeken aan onbekende mensen wel echt nodig? Weliswaar ontvingen ze me hartelijk maar iets nuttigs heb ik tot nu toe nog niet gehoord.

Ik besef heel goed dat ik op het eiland Kei niet alleen een reizigster ben maar ook amusement voor de bevolking en voor enkelen een bron van inkomsten. Deze dag heb ik in ieder geval voor mezelf. Yekki en Arif en Nyong heb ik afgezegd en de uitnodiging van Nyong om bij hem een cursus prauwbouw te volgen heb ik naar een latere datum verschoven.

Ik ga in de tuin van het losmen zitten, onder een verwilderde sukunboom en lees in de scriptie van Paschalis Maria Laksono uit 1990. Ik heb die gekregen van een pater uit Langgur. Het is een interessante antropologische verhandeling over het dagelijks leven in een kampong aan de oostkust van Kei Kecil. Behalve hilarische verhalen geeft de scriptie ook eenvoudige feiten: de Kei-eilanden zijn koraaleilanden. De bodem bestaat uit roodgele aarde, niet meer dan tien centimeter diep, op een onderlaag van gesteente. Er is weinig vegetatie, meest lage pandanuspalmen. Vroeger is er ijzerhout geweest. Dichte djatibossen lagen rond stille dorpjes.

In de korte tijd dat ik hier nu rondrijd met Arif aan het stuur heb ik kunnen zien hoe rigoureus de ontbossing in zijn werk is gegaan. Iedereen spreekt hier over de 'slash and burn'-methode. Met een parang alle bomen kappen en het onderhout verbranden. Er zijn nu praktisch geen wilde dieren meer, maar nog niet zo lang geleden waren hier beren, herten en reeën. Een paradijsje is, door de noodzaak van meer voedsel voor steeds meer mensen, gemillimeterd tot een kaal eiland waar hoogstens nog een enkele slang ligt te zonnen op de stenen.

De scriptie past bij de donkerblauwe bril die ik deze morgen heb opgezet in plaats van mijn dagelijkse roze bril. Het is ongemerkt gebeurd. Als ik om me heen kijk in de tuin zie ik in de droge hitte dorre struiken met neerhangende bladeren waar alle kleur uit lijkt te druipen. Bomen, planten, alles ziet er in mijn ogen verwassen uit en de aarde is niet langer roodgeel maar heeft eerder een donkere purperkleur, tegen zwart aan. De zon schijnt zonder enige tinteling of nuances met de doffe kleur van ongepoetst koper.

Een mens en zijn omgeving kunnen veranderen in de loop van een paar uren. Alles is voortdurend in beweging. Het is moeilijk iets te vinden dat zichzelf blijft en daardoor een beetje zekerheid biedt, iets dat niet op het punt staat te vervagen of totaal te verdwijnen.

Het gaat regenen, denk ik. Er is nog wel geen wolk te zien, maar de grauwe nevel hangt voelbaar, maar nauwelijks zichtbaar, over de tuin. Kan ik niet beter gaan slapen? Het is acht uur in de ochtend en ik heb een goede lange nachtrust achter de rug. Daaraan kan het niet liggen. Als ik om me heen kijk zie ik geen enkel vergezicht. Ik lijk tegen een muur aan te kijken. Dit eiland wil ik eigenlijk helemaal niet zien. Het is geen land van vroeger, het is een land van as en sintels. Mijn vader daarentegen heeft vanaf deze heuveltop het paradijs zien liggen. De vogels floten in zijn tijd, de kleuren barstten uit hun voegen, de zon scheen helder, mensen als Nyong hadden altijd een enfak bij de hand om hun boten af te bouwen en daarmee zee te kiezen. Er waren nog geen Yekki's die hun dorpsgenoten wilden opvoeden en iedereen mocht gerust net zo rommelig aan de gang blijven als het al eeuwen was gegaan.

Wat zouden de oude goden van Kei, de drie broeders Hian, Tongil en Parpara wel zeggen van dit nieuwe Kei, een eiland dat zij eens, volgens de legende, verkozen hebben boven hun hemel? Het is een legende die veel en graag wordt verteld. Van de toehoorder vergt het nogal wat concentratie. Hoe meer mensen er ten tonele worden gevoerd hoe beter, schijnt men te denken. Iedereen in het verhaal heeft een vaste naam en een hond die ook weer een naam heeft.

Als ik al iets van deze legende navertel, omzeil ik de meeste moeilijkheden door er de nadruk op te leggen dat de goden zich de hele dag onledig hielden met elkaar flink te pesten en zich van tijd tot tijd terug te trekken, wrokkig vissend in een bootje op de wolkenzee of mistroostig een gat gravend in de bodem van de hemel. Bij dat laatste zakte een van de goden door het gat heen en kwam terecht op aarde. Hij stond op het eiland Kei en vond het een prachtig land. Luid riep hij naar boven om zijn broeders aan te sporen hem te volgen. Even later stonden ze tussen de palmen: Hian, Tongil, Parpara en een van hun zusters, Bikel. Natuurlijk hadden ze elk hun eigen hond bij zich: Koepoel, Wakar, Sengoeoer en Pataras. De tweede zuster bleef in de hemel. Het hemelse rijk konden ze niet onbeheerd laten, maar de anderen vestigden zich heel gelukkig op dit mooiste eiland ter wereld en bevolkten het.

De Keiezen zijn dus van goede komaf. Het is een beetje jammer dat de goden geen maat wisten te houden met het bevolken van het land. Ze dachten dat het eiland vele miljoenen zou kunnen herbergen want in het begin aten de goden nog zonlicht en bloemengeur en ze sliepen in het gras met een nevel om hun schouders geslagen. Toen ze zich mengden met de oorspronkelijke bewoners en de bevolking hoe langer hoe menselijker werd, begonnen ze gulzig te worden en hun eigen eiland op te eten. Ze kapten de bomen en veroorzaakten bosbranden. Zo ontstond de kaalte. Het warme landschap ging er kil uitzien. Toch is het goed dat de goden niet in hun hemel zijn gebleven. Men kan in elke Keiees nog duidelijk de goddelijke vonk herkennen.

De scriptie van Laksono glijdt op de grond. Ik doe mijn ogen dicht en hoor, ergens achter mijn rug, een gefluister vanuit de bamboebosjes: 'Ibu!'

Als ik omkijk zie ik Arif en Nyong staan en ook de oude man met de ogen waarmee hij kan kijken in andere werelden. Hij is het in levenden lijve: Bapak Bakar uit Ohoideertawun.

Is het een zondag of een feestdag? Nee, het is een gewone doordeweekse dag. Toch zien de drie mannen er bijna feestelijk uit. Bapak Bakar draagt een met gouddraad bestikte sarong en een zwarte fluwelen band om zijn middel waarin een van onze oleh oleh is gestoken, de dolk met het bewerkte foedraal.

Nyong en Arif hebben zich blijkbaar aangepast bij zijn kleding. Zo keurig aangekleed heb ik ze nog niet eerder gezien. Allebei dragen ze een lichte broek, duidelijk pas gewassen en gestreken en daarop de nieuwe shirts die ik onlangs op de pasar kocht voor vrienden in Holland maar die ik in een opwelling aan hen gaf. Ze zien er alle drie goed uit en zonder iets te zeggen loop ik mijn kamer in en trek het doorzichtige voile bloesje met de oranjerode bloemmotieven aan over het zwarte T-shirtje dat ik die ochtend draag. Ik hang er een glanzende ketting van barnsteen over, de situatie lijkt het te vragen.

'Is er een bruiloft?' vraag ik als ik weer naar buiten kom. Er is wel een bruiloft, zeggen ze, maar niet vandaag. Deze dag is bedoeld voor het vinden van de pasanggrahan.

'De pasanggrahan?' vraag ik verbaasd. Want juist vanmorgen heb ik de pasanggrahan eigenlijk definitief afgeschreven. As en sintels, heb ik gedacht.

De mannen glimlachen om mijn gezicht. De Ibu wilde toch graag de pasanggrahan zien? Welnu, we gaan ernaar toe. De pasanggrahan met de spiegels.

Nyong en Arif zijn duidelijk opgewonden en vrolijk. Al gaan we niet naar een bruiloft, we gaan wel naar een feest. Zelfs de oude Bakar heeft een dun welwillend glimlachje om zijn mond, die een smalle streep vormt in zijn gesloten gezicht.

Arif, de jongste van ons vieren, gaat ons voor langs het tuinpad met de rode hibiscus, hij houdt het wit geverfde tuinhekje voor ons open. Haast dansend loopt hij naar zijn busje dat vlak bij het losmen staat geparkeerd. De oude Nyong en de oude Bakar en de oudste dochter van mijn vader lopen achter hem aan. Ik twijfel geen moment. Hiervoor kwam ik naar Kei. Ik adem diep de van dreigende regen gezuiverde lucht in en kijk uit over het lager gelegen Tual. Ver beneden me ligt de baai, het is een boeiend vergezicht. De paalwoningen worden weerspiegeld in het water.

We hoeven niet ver te gaan. Al na een minuut of vijf zegt Bakar op besliste toon: 'Hier is het.' Arif stopt langs de kant van de weg en ik loop met de anderen mee naar de laaggelegen kant waar een brokkelig muurtje is. Hier ben ik toch al vaker geweest? Dit is de weg die zich van de top omlaag slingert tot aan de Rosenbergengte, waar nu de nieuwe brug, de Jambatan Usdek, is. Het gebouw dat Bakar aanwijst ligt iets lager dan de weg. Als je er in het hoge busje langsrijdt, kijk je eroverheen, want alleen een klein gedeelte van het zinken dak is zichtbaar. Er is nauwelijks sprake van een tuin. Het gebouw ligt ingesloten tussen huizen die je meer in Tual ziet: eenvoudige, gesloten houten bouwsels op stenen voetstukken. De wanden zijn lichtblauw met een iets donkerder blauw, maar de kleur is wat grijzig geworden in de loop der jaren en de verf is hier en daar afgebladderd.

Hoewel Bakar pal voor dit ene huis is blijven staan en scherp naar beneden tuurt, zeg ik toch, gedreven door een gevoel van teleurstelling: 'Is het dit huis wel, Bapak Bakar?'

Het is een huis als elk ander huis, een beetje groter misschien, een beetje ouder, maar er is niets dat suggereert dat dit eens het verblijf van gouvernementsambtenaren was.

'Het is de pasanggrahan met de spiegels,' zegt hij en zijn gebogen hoofd en de prevelende lippen maken nu de indruk dat hij staat te bidden bij een open graf.

In het lage muurtje langs de slingerweg zie ik alleen een opening met een trapje bij het buurhuis. Arif heeft het ook gezien. Voorafgegaan door Nyong, die er eigenlijk niets mee te maken heeft maar die nu eenmaal als vanzelfsprekend altijd de leiding neemt, gaan ze met z'n tweeën het trapje af, naar het buurhuis toe. Ze kloppen en als er open wordt gedaan, trekken ze hun schoenen uit en verdwijnen in het huis.

Bakar blijft staan in zijn gebogen houding.

'Spiegels!' zegt hij in het Bahasa Indonesia, 'veel mensen, veel witte mensen!'

'Er waren er maar drie,' zeg ik want in mijn voorstelling van het verleden hebben hier in deze pasanggrahan, die ook voor de oorlog dienst moet hebben gedaan, alleen maar die drie mannen gewoond waar het mij om gaat.

Bakar schudt zijn hoofd en mompelt nog het een en ander in het Keiees dat ik niet kan begrijpen. Ik ga, opeens een beetje buiten adem, op het lage muurtje zitten en wacht af. Het duurt even. Het duurt nogal vaak even in dit land en de tijd gaat dan heel langzaam voorbij. De zon brandt door mijn feestelijke doorkijkbloes heen. Ik heb vergeten mijn witte linnen hoedje op te zetten, maar het is op dit moment niet de hitte die mij hindert. Mij hindert het feit dat je hier nooit precies weet wat er zich achter de gesloten deuren nu precies afspeelt. Ik kan alleen maar blijven kijken naar de deur van het buurhuis met de schoenen van Nyong en Arif op het stoepje ervoor. Vragen zij om inlichtingen of wie weet om de sleutel van de pasanggrahan? Of drinken zij eerst omslachtig thee omdat de gastvrijheid dat eist en omdat er natuurlijk veel uitgelegd moet worden?

Dan komt Arif eindelijk naar buiten. Hij heft zijn hand op. Ik kijk tegen de zon in en meen een sleutel te zien tussen zijn vingers. Hij loopt naar ons toe en eerbiedig zegt hij een paar woorden in het Keiees tegen Bakar, die zich opricht uit zijn gebogen houding. Hij knikt in de richting van het buurhuis, waar nu een man, in een witte sarong en met een peci op, in de deuropening staat, het lijkt me een islamitische priester of godsdienstleraar.

Arif begeleidt Bakar hoffelijk het trapje af en het buurhuis in. Mij laat hij staan en ik ga maar weer zitten in de houding waaruit ik vol verwachting maar wel voortijdig ben opgesprongen.

Het duurt weer even. De deur van het buurhuis is gesloten. Er staat nu een extra paar schoenen, dat van Bakar, op het stoepje.

Als ik mijn droge lippen begin te likken en weer dat prikkelende gevoel bij mijn haarwortels krijg, een teken van opkomende woede, gaat eindelijk, eindelijk de deur open. Het is Arif met de sleutel. Hij doet de deur achter zich dicht. Nyong en Bakar blijven in het huis. Arif wenkt mij en ik ga naar hem toe, het trapje af en volg hem over een voetpaadje dat onder langs de straatmuur loopt. We staan nu voor het huis dat door Bakar is aangewezen en mijn scepsis groeit.

Arif voelt mijn stemming aan. Haast verontschuldigend zegt hij: 'U moet rekenen, het is nu geen pasanggrahan meer. Er zijn losmens en hotels in Tual gekomen. Het huis is nu een Rumah Allah, een huis van God. De buurman is een leraar en hij geeft hier af en toe korancursussen aan jonge mensen. Dat is toch geen belediging voor uw vader?'

'Welnee!' zeg ik.

We doen onze schoenen uit. Hij opent de deur. Met één enkele stap ben ik in een grote kamer. Je zou het zelfs een enorme ruimte kunnen noemen. Weliswaar is die ruimte niet eens veel groter dan die van een ontvangstkamer in een flink huis, maar aan de beide zijwanden zijn van de grond tot het plafond spiegels bevestigd. Die twee geweldige spiegels tegenover elkaar maken dat de ruimte haast oneindig lijkt, en ook vol mensen, want Arif en ikzelf worden er veelvoudig in weerkaatst. Er ligt een tapijtje voor elke spiegel. In de hoek staat een huiselijk schemerlampje dat meer thuishoort in een Amsterdamse middenstandswoning dan in een godshuis of pasanggrahan. Ik ben sprakeloos.

Dan zie ik dat er twee deuren openstaan die toegang geven tot twee kleine kamertjes. Ze lijken als opslagruimte te dienen en staan volgepropt met meubels. Ik zie een roodpluchen zitbank, twee rode fauteuils, een salontafeltje. Dit moeten de rode stoelen zijn waarover mijn vader schreef: 'Er hangt altijd een rood licht in onze zitkamer, het doet denken aan een bordeel.'

Hij had eraan toegevoegd: 'Het maakt die indruk omdat het rood van onze stoelen wordt weerkaatst in de spiegels.'

Ik herinner me nu dat hij dus wel over die spiegels heeft geschreven, maar ik heb me gewone spiegels voorgesteld van het soort dat in Nederland soms boven een schoorsteenmantel hangt.

Het wordt een waardig feest waarbij ik zelf niet veel heb in te brengen.

Op eerbiedige blote voeten komen Bakar en Nyong binnen, vergezeld van de godsdienstleraar met zijn zoontje. De gasten zijn gearriveerd. De twee tapijtjes worden in het midden van de kamer tegen elkaar gelegd. De tafel is dan gedekt. Het zoontje van de godsdienstleraar wordt uitgestuurd met een bestelling voor een dichtbij gelegen warong. Naar de maatstaven van deze samenleving, die voor alles rustig de tijd neemt, komt het allemaal snel voor elkaar. Na een halfuur beleefd gekeuvel zitten we al met een kom soto ayam voor ons. Daarna arriveren nog verschillende schotels met rijst en kip en een hete sambalsaus. Moet ik aannemen dat de warong dit alles onvoorbereid zo snel heeft kunnen leveren? Loopt de godsdienstleraar elke ochtend om negen uur in zo'n smetteloze witte sarong met een hemelsblauw jak eroverheen? Is het zoontje altijd thuis om deze tijd? Is de vloer van de pasanggrahan altijd zo schoon alsof hij pas is gedweild en staan er elke dag verse bloemen naast het knusse schemerlampje?

Wat maakt het uit. Het eten is heerlijk. Ik had mij het uiteindelijk vinden van de pasanggrahan niet beter kunnen wensen. Nyong haalt zelfs nog persoonlijk een stuk papaja omdat hij weet dat ik daarvan houd. Alleen van de sterk alcoholische *tuak* krijg ik niets aangeboden. Dat hoort niet voor vrouwen en kleine kinderen. Het zoontje en ik drinken mierzoete limonade uit grote waterglazen. De tuak maakt de mannen vrolijk maar niet uitgelaten. Ze vieren tenslotte een feest voor de witte mensen die hier lang geleden hebben gewoond. Het zou niet hoffelijk zijn daarbij dronken te worden en het decorum uit het oog te verliezen.

Tussen de schotels met rijst en kip en saus op de tapijtjes staat, precies in het midden, een grote platte lichtblauwe schotel. Alle gasten scheppen van hun bord een klein beetje op die blauwe schotel: een lepel rijst, een half ei, een mooi stukje kip en een beetje rode saus. De godsdienstleraar zegent de schotel of hij richt een gebed tot de voorvaderen, dat kan ik niet uitmaken.

Onder aandachtig zwijgen van alle aanwezigen, deelt hij dan het eten op die schotel in drie gelijke porties. Iedereen zegt: 'Ah!' en buigt zich tevreden over het eigen bord. De blauwe schotel is voor mijn vader en zijn vrienden. Hun geesten zullen ongetwijfeld aanwezig zijn bij de feestmaaltijd, zeggen ze.

Zelf heb ik niet het gevoel dat er welke geest dan ook aanwezig is op ons feest. Misschien komt dat doordat ik, bij gebrek aan een godsdienstige opvoeding, ervan overtuigd ben geraakt dat in deze onverklaarbare wereld, gemaakt door een onverklaarbare schepper, alles wordt bepaald door de vrije wil van de mens. Daarom krijgt iedereen uiteindelijk dat waarin hij gelooft. De christenen gaan naar hun hemel om harp te spelen op een wolkje. De boeddhisten evolueren eindeloos door tot ze op grote geestelijke hoogte komen, maar het is nooit genoeg. De hindoes incarneren in een ander lichaam en gaan daarmee om zoals het hun goed dunkt. De materieel ingestelde ongelovigen voegen zich na hun dood gelaten bij het stof aan de wegkant.

Mijn vader geloofde in reïncarnatie en dus zal hij wel ergens op aarde rondlopen met een lot waarvan hij nog een lesje kan leren. Het is zelfs mogelijk dat zijn voeten lopend langs de wegkant nog eens het stof doen opwaaien van wat in een ander leven zijn oudste dochter was.

Het schip Aireymouse

Arif heeft bij ons vertrek uit het losmen natuurlijk niet bij toeval mijn camera gepakt en mij mijn schoudertas aangereikt, waarin mijn beurs met geld zit. Want er moet betaald worden, dat spreekt. Het gebeurt discreet als we na de maaltijd afscheid nemen van de buurman en van Bakar, die door Arif teruggereden zal worden naar Ohoideertawun. Nyong wil naar beneden lopen en ikzelf ga naar boven, naar de top waar het losmen ligt. Ik houd een langskomend busje aan en als ik in wil stappen, staat daar de waronghouder met een papiertje in zijn hand en allerlei oncontroleerbare becijferingen. Nog net kan ik Nyong terugroepen en hij fluistert me in hoeveel geld ik moet opdiepen uit mijn beurs. Het is een bescheiden bedrag voor zo'n perfect georganiseerd feest en ik geef de waronghouder een ruime fooi. Want ik heb de pasanggrahan gezien. Nu alleen nog de school en het huis dat mijn vader later kreeg toegewezen. Dan kan ik terug naar Amsterdam en heb dus geen reisgeld meer nodig.

Tevreden kom ik terug in het losmen met het plan nu eerst een lange siësta te houden, maar opeens zie ik in gedachten hoe Nyong in zijn eentje de hete slingerweg afloopt, terug naar de haven en zijn werkplaats.

Deze hele dag heb ik vrijwel alleen gedacht aan de pasanggrahan en bij ons afscheid was ik daar nog steeds van vervuld. Met geen woord ben ik, in mijn gesprekken met hem, teruggekomen op het verhaal over de vage vlek op zijn boot en de geschiedenis van zielen die kinderen uit de kampong roven omdat ze zich eenzaam voelen in het dodenrijk. Ook heb ik nauwelijks interesse getoond voor zijn uitleg over de botenbouw op Kei.

Was er toen we daarnet uit elkaar gingen iets van teleurstelling, misschien zelfs van een zich wat beledigd voelen, vast te stellen in de neergaande lijn van zijn schouders en licht gebogen rug?

Haastig gooi ik in het badkamertje een paar *gayongs* koel water over mijn verhitte lijf. Ik trek andere kleren aan en rij met een passagiersbusje mee naar beneden, naar de haven. Bij de werkplaats van Nyong zie ik hem staan bij het skelet van zijn boot. Ook hij heeft zijn feestkleren afgelegd en draagt nu weer zijn dagelijkse, wat rafelige spijkerbroek en een door de zon gebleekt T-shirt.

Terwijl ik naar hem toe loop, realiseer ik me dat ik, van alle mensen die ik tot nu toe op Kei heb ontmoet, het meest gesteld ben geraakt op Nyong.

Na ons pasanggrahanbezoek heb ik Bakar extra bedankt en hem de hand geschud. Maar als ik hem nooit meer zie, vind ik dat ook best. Arif waardeer ik omdat hij een goede chauffeur is en af en toe zelfs een inventieve gids. Het is duidelijk dat hij in rechte lijn afstamt van de drie goden die op Kei zijn neergedaald: een stevig gebouwde, gezonde jongeman met een dikke sluike haardos en een wilde snor die hij wat vaker zou moeten knippen. Zijn huid straalt welbehagen uit. Aan dit soort goudbruine huid denk je als je het hebt over 'lekker in je vel zitten'.

Als ik schilder was geworden in plaats van schrijver, dan zou ik Bakar en Arif niet zonder spijt uit mijn gezichtskring kunnen zien verdwijnen. Die twee zou ik liever tekenen dan Nyong, die geen opvallend uiterlijk heeft, geen markante trekken, niets dat je aandacht meteen op hem vestigt. Maar hij heeft bruine ogen die vaak oplichten vanuit tot lachspleetjes samengeknepen oogleden. Een bepaald gebaar waarmee hij het haar dat over zijn voorhoofd valt naar achter strijkt. Je ziet daardoor zijn handen, breed, krachtig en capabel. Het kleine lachje rond zijn mond en de mimiek van zijn gezicht die maakt dat je in hem de duizend mensen kunt zien die bij vrijwel ieder ander altijd verscholen blijven. Nyong is een van die mensen van wie je zelden een bevredigende foto kunt maken. Een foto geeft één enkel moment weer en de aantrekkingskracht van Nyong ligt in zijn tengere lijf waarmee hij allerlei stemmingen weet uit te drukken. Als hij een dikke winterjas aantrok en ik kwam hem tegen in de Kalverstraat, dan zou ik hem misschien niet eens herkennen.

'Ik kom nog even kijken naar de rode vlek,' val ik met de deur in huis. Maar Nyong schudt zijn hoofd. Voor die vlek is het niet het juiste moment blijkbaar.

'Ik wil vanmiddag een naam bedenken voor de boot,' zegt hij. 'Wie weet is zij dan niet zo onwillig. Als het schip een naam heeft en ik maak vast een van de twee zeilen klaar, dan kan ik haar misschien makkelijker afmaken.'

'Maar Nyong,' zeg ik, 'de eigenaar moet toch zeker degene zijn die de boot een naam geeft? Dat kan jij toch niet doen?'

'Ik ben de eigenaar,' zegt Nyong haast verlegen. 'De boot is van mij. Zij is ook een beetje van Arif,' voegt hij eraan toe. 'en van andere vrienden, van Lagante en Tongil en Karoe. Ze geven mij geld als hun dat uitkomt. Uit Surabaya breng ik dan goederen voor hen mee, als de boot af is en ik handeldrijf op Java en Ambon. Maar dat duurt nog even want er is niet genoeg geld.'

Ik vraag me meteen af hoeveel dollars ik nog te missen heb voor de boot van Nyong en hij ziet dat aan mijn gezicht.

Hij zegt meteen met een frons: 'Nee, nee, Ibu, geen geld.

Maar ik heb wel hulp nodig, een naam voor mijn boot, een mooie, heel bijzondere naam waardoor zij tot leven komt en me aanspoort haar af te maken, een naam is belangrijk voor een schip.'

We staan nu, allebei zwaar fronsend, naast elkaar, de voeten in het zand. Er valt mij niets bijzonders in. En wat mij invalt zijn namen die Nyong niets zullen zeggen omdat hij er geen enkele associatie bij krijgt.

'Ik kan niets bedenken,' zeg ik ten slotte.

'Jawel,' zegt Nyong. 'U weet iets. Ik zie de naam zitten achter uw voorhoofd. Is het de naam Helena?'

'Helena?' vraag ik verbaasd. 'Nee, daar dacht ik niet aan.'

Dan herinner ik me het verhaal van Arif over de vroegere relatie van Nyong met een Nederlandse vrouw en haastig zeg ik:

'Maar Helena is een prachtige naam. Dat zou heel geschikt zijn voor dit schip.'

'Nee,' zegt Nyong verdrietig, 'het is een prachtige naam voor een vrouw. Niet voor een schip.'

'Schepen hebben vaak vrouwennamen,' werp ik tegen, 'Johanna-Maria bijvoorbeeld, of anders Caecilia of White Lady. Maar Helena vind ik beter.'

Nyong blijft zijn hoofd schudden.

'Iets anders,' zegt hij koppig. 'Een Nederlands woord. Of een Engels woord. Maar het moet iets betekenen, het moet het schip een ziel geven.'

'Noem het dan Aireymouse!' zeg ik, want in het losmen ben ik net begonnen aan het boek van Bruce Chatwin, *What am I doing here?* 'Aireymouse betekent vleermuis. Een vleermuis vliegt door de lucht zoals een schip vliegt over het water. Maar daar gaat het niet om. Aireymouse! Zo heette het schip van de grootvader van Bruce Chatwin. Een van zijn verhalen gaat over een schip van vroeger, uit de jaren twintig. Twee bruine zeilen, een koperen scheepsbel en een gouden lijn die van de boeg naar de achtersteven loopt. Een witgeverfd schip. In zwarte letters staat langs de romp geschreven: AIREYMOUSE, je kunt het van ver lezen. Aireymouse is voor mij – voor Bruce Chatwin ook denk ik – een symbool. Weet je wat ik bedoel? Het doet je aan iets denken, daar gaat het om. Aireymouse was een heerlijk schip, maar de grootvader moest er afstand van doen in de loop van de oorlog. Hij miste haar. Hij bleef zich afvragen wat er van haar was geworden, ze was altijd in zijn gedachten. Aireymouse-dingen zijn dingen die eigenlijk nooit uit je gedachten zijn, hoe oud je ook wordt. De grootvader bleef naar haar uitzien. Er waren allerlei geruchten. Maar die spraken elkaar tegen. Hij hoorde dat ze verbouwd was tot woonschip en nu lag te rotten in de een of andere kreek. Hij hoorde dat ze op een dag aan een verre kade was afgemeerd en dat een auto van die kade afreed en boven op het dek terechtkwam. Er zou niet meer dan een wrak over zijn van de Aireymouse. Ook hoorde hij dat er in de oorlog een brandbom op was gevallen, een voltreffer, het schip was geheel uitgebrand.

De grootvader had er geen idee van wat de waarheid was. Vaak stond hij aan de kade en staarde uit over de zee. Als er dan een schip verscheen aan de horizon, een schip met twee zeilen, dan hoopte hij dat hij haar naam zou lezen in zwarte letters op een witte romp: Aireymouse. Het zou van heel veraf al te lezen zijn. Maar als zo'n schip dichterbij was gekomen, las hij altijd een andere naam.

Op een dag, hij was toen al tachtig jaar, kreeg hij het bericht dat een onbekende zijn schip had gekocht. Ze was in slechte staat maar de koper meende haar, met de hulp van de vroegere eigenaar, weer in volle glorie te kunnen herstellen. Zo kwam het dat hij tegen het eind van zijn leven toch nog zijn hartenwens in vervulling zag gaan. Hij heeft zijn laatste jaren doorgebracht op de Aireymouse. Daarom is Aireymouse meer dan een naam. Het doet je denken aan de wonderen die je verwacht van de ouderdom. Een lang geleden verloren geliefde keert terug in je leven. Of je vindt toch nog het huis waar je altijd van droomde. Of er wordt een achterkleinkind in je armen gelegd.'

Ik zwijg. Nyong staat voor me met gebogen hoofd. Dan kijkt hij op met zo'n stralende lach die in één enkele seconde de rest van zijn lichaam mee lijkt te trekken. Hij grijpt in zijn jaszak en houdt me een verfrommelde blocnote voor en een pen.

'Aireymouse!' zegt hij en ook zijn stem lacht. 'Schrijf het voor me op, Ibu. We hebben het gevonden!'

Een nieuwe warong

Na een verlaat middagslaapje loop ik de eetkamer van het losmen binnen en daar, op de bank, zit Yekki onbedaarlijk te huilen.

We hebben haar nodeloos hard laten vallen, dat ben ik met haar eens. Ik weet niet hoe ik het goed moet maken. Om te beginnen neem ik haar meteen weer in dienst. Te voet gaan we Tual in en ik stem erin toe om nu eindelijk eens kennis te maken met haar familie.

Yekki heeft een oom die een regeringsfunctie vervult. Hij is het die Yekki het geld gaf waarmee ze haar warong kon laten bouwen. Zelf woont hij in een stenen huis waar ook Yekki's grootvader een kamer heeft. Die grootvader spreekt nog Nederlands en zal mij graag willen ontmoeten, zegt ze.

Het stenen familiehuis ziet er onneembaar uit. Ramen en deuren zijn gesloten en het hoge hek wordt maar schoorvoetend geopend door een bediende. Fluisterend vertelt hij ons dat oom nog slaapt. We mogen geen lawaai maken. In het huis kan hij ons daarom niet toelaten, maar er is niets tegen dat we blijven wachten in de tuin. Onder een metershoge paarsrode bougainvillea die diep doorbuigt onder bloesemrijke takken staat een *baleh-baleh*. Het is er dus schaduwrijk, maar ook bedompt, de namiddagwind kan ons hier niet bereiken en ook wordt onze zitplaats door die overhangende takken aan het oog onttrokken. Ligt het daaraan dat het lijkt of wij vergeten worden?

We wachten een uur, twee uur. Ik krijg dorst maar het familiehuis van Yekki verschaft zelfs geen glaasje thee, iets wat je op dit eiland in de meest schamele woning direct gastvrij krijgt aangeboden.

Na eindeloos gebabbel met Yekki waarbij ze mij haar toekomstverwachtingen uit de doeken doet: grotere warong, een baan in Ambon of een huwelijksaanzoek van de Duitse toerist die laatst op Kei was en die na een wekenlange vurige romance niets meer van zich heeft laten horen, na dit alles wil ik nu alleen maar hiervandaan.

Maar Yekki vraagt me om een beetje geduld. Ze gaat zelf naar de grootvader toe, die mij zeker in het Nederlands wil begroeten. Doordat ik me nog steeds wat schuldig voel tegenover haar, stem ik erin toe op de baleh-baleh te blijven wachten.

Het loopt al tegen vijven maar het is nog heet in de tuin. Het wachten duurt weer even. Na drie kwartier komt Yekki terug. Ze glimlacht flauwtjes en is wat verlegen met de situatie. Het spijt haar, het spijt haar heel erg. Haar oom is een beetje ziek geworden. Grootvader is misschien ook wel ziek. In ieder geval zegt hij dat hij nooit meer Nederlands wil spreken, daar heeft hij mee afgedaan.

'Geef hem ongelijk!' zeg ik en probeer mijn lachen in te houden. Want Yekki heeft voor haar gevoel haar gezicht verloren na al dat opscheppen over haar familie. Moet ik haar troostend omhelzen of een flinke klap geven?

'Het spijt me!' herhaalt ze en de tranen rollen alweer over haar gepoederde gezicht.

'Kom, we gaan iets drinken bij de pasar,' zeg ik maar. Ja, dat had ik gedacht! Ze heeft iets anders in de zin. Ik moet nu eerst haar gloednieuwe warong zien, het is niet ver lopen.

'Ik heb dorst,' zeg ik. 'We gaan eerst iets drinken.'

Maar daar kan geen sprake van zijn, want de warong is

dichterbij dan de pasar. Ze trekt me mee door zijstraatjes, we lopen over braakliggende velden, klimmen een eind omhoog en dalen dan steil af naar een oud gedeelte van Tual. Daar ligt het opeens voor ons, een schaduwrijk pleintje met een metersdikke waringin vol luchtwortels, een paar ongeplaveide weggetjes met wat scheefgezakte huisjes en heel opvallend daartussen staat de nieuwe warong. Het is een ongeverfde houten keet van twee bij drie meter met een dak van golfplaten, vergrendelde ramen en een deur met stevige hangsloten. Het detoneert op het lieflijke, stille pleintje. Maar Yekki is er trots op. Ze doet het hangslot open en de planken deur zwaait naar buiten. Vanbinnen lijkt de warong meer op een stapel slordig op elkaar gestapelde kisten, met latjes aan elkaar bevestigd.

Yekki gaat meteen aan de slag. Stopflessen komen te voorschijn en worden overal neergezet. Er zitten groene cakejes in die er wat oudbakken uitzien. Er staan ook blikken olie en een bak met batterijen.

'Het is nog niet veel,' zegt ze weifelend. 'Ik heb alleen wat Amerikaanse dollars nodig. Daarmee zou ik een mooi voorraadje kunnen maken.'

'Heb je een kamer hier in de buurt?'

Ze wijst op een gordijn achter in het hok. Ik duw het opzij. Er ligt een matje op de grond en een rood zijden kussentje. Aan een spijker hangt een spiegeltje.

'Slaap je hier?'

Ze knikt.

'Ik ben zelfstandig,' zegt ze. 'Ik moet alleen nog wat dollars verdienen. Daarom ben ik blij dat ik wat geld verdien door Ibu te begeleiden en te helpen.'

Ik ben er dichter aan toe haar te omhelzen dan haar een klap te geven. Daarom zeg ik haastig: 'Maar binnenkort ga ik naar het eiland Tanimbar en daarna naar de Aru-eilanden.

Je zult toch ander werk moeten zoeken.'

'Misschien wilt u wel wat geld steken in een warong met goede vooruitzichten?' zegt ze en grijpt liefkozend mijn hand, ze strijkt met haar vingers over mijn pols.

'Morgen heb ik je al niet meer nodig,' zeg ik gedecideerd en ik grijp mijn beurs.

'Hier is het geld voor deze middag. Ik heb wel wat extra's over voor je warong. Hoeveel had je gedacht?'

'Vijftig dollar misschien,' zegt ze snel.

'Goed, vijftig dollar.' Ik tel de roepia's uit in haar hand, haar loon voor de begeleiding van deze middag. Uit een apart vakje haal ik de dollars te voorschijn.

'Honderd dollar is beter,' vindt ze opeens, 'dan heb ik een echte basis. Met vijftig red ik het eigenlijk niet.'

'Afgesproken! Honderd dollar.' Het is een soort afscheidsgeschenk bij het beëindigen van ons werkcontract.

'Bedankt, Ibu! Bedankt!'

Ik haal opgelucht adem nu ze tevreden blijkt en loop met haar naar het cafeetje bij de pasar. Terwijl de koffie wordt ingeschonken en ik ontspannen achteroverleun, zegt ze opeens vol animo: 'Ach! Dat vergat ik nog! Ik heb bericht gekregen van mijn ouders op Kei Besar. Ze kunnen u binnenkort ontvangen. Ik heb maar vast twee tickets voor de boot gekocht. Het is drie uur varen naar Banda Elat. Zal ik u morgenochtend om negen uur afhalen?'

'Morgen heb ik een afspraak met vrienden,' zeg ik stroef. 'En overmorgen ga ik misschien al naar Tanimbar. Wie weet ga ik eerst nog naar Rawun. Maar daar is voor jou niets te doen. Ik heb geen plannen om naar Kei Besar te gaan.'

'Mijn ouders rekenen op deze week,' zegt ze. 'Er wordt een dans in klederdracht voor u opgevoerd. Verschillende dansen zelfs. Het feest wordt gehouden op een open plek aan het strand, aan de rand van ons dorp Ngefuit. Mijn ouders hebben alle mensen al gewaarschuwd, ook de mannen van het orkestje. De oude man met de tifa gong, de mannen met de trommels, de jongen met de fluit. Iedereen is er klaar voor.'

'Toch ga ik liever naar Tanimbar,' houd ik vol, maar eigenlijk weet ik allang dat ik geen partij ben voor Yekki.

'Hoe komen we trouwens van Banda Elat naar het dorp Ngefuit?' probeer ik nog, 'Ngefuit, dat ligt toch helemaal aan de andere kant van Kei Besar? Aan de oostkust?'

Maar Yekki heeft haar antwoord klaar. De jeep van haar broer haalt ons af. Het wordt een onvergetelijke tocht over de bergruggen van Kei Besar. Het is een prachtig eiland, dichtbebost, nog geen sprake van houtkap. Hoge djatibomen, wilde zwijnen, geelgroene varanen, paradijsvogels bij de vleet, ik zal niet weten wat ik zie! Ten noorden van de hoofdplaats Banda Elat zitten nog wat Japanners te vissen op parels. Als ik wil kunnen we daar een kostbare parelketting kopen, voor praktisch niets!

'Voor praktisch niets?' Ik word weer met mijn neus op de geldkwestie gedrukt.

'Zo'n dansfeest, alle mensen in kostuum, muziek erbij, wat zou dat kosten?'

'Praktisch niets!' herhaalt ze. 'U geeft de man met de fluit een beetje geld en de oude man met de trommel wat sirih en de dansers geeft u ook een kleinigheid. Mijn moeder kookt een feestmaaltijd, ze kan heel lekker koken. U hoeft haar niets te betalen. Natuurlijk hebben we wel wat oleh oleh nodig. We kunnen niet op bezoek gaan in kampong Ngefuit zonder oleh oleh.' Yekki drinkt haastig haar koffie op en trekt me mee naar het centrum van de pasar.

Voor het kleine broertje een plastic autootje en voor de broer met de jeep een goede zaklantaarn en voor de ouders van Yekki: ja wat? Een tafelkleed? Of een Chinese vaas? Of een schommelstoel? Op de pasar is van alles te koop. Het spreekt vanzelf dat we niet zonder etenswaar kunnen aankomen: suiker en meel en snoep en olie en sigaretten.

Het is maar goed dat ik in Ambon zoveel geld heb gewisseld. Hier op Kei kan ik bij de banken mijn travellerscheques niet kwijt, dus reis ik met een rugzak vol geld.

Met kreten van verrukking neemt Yekki het ene voorwerp na het andere in handen. Alle mensen op de pasar komen aandragen met artikelen die uiterst geschikt zijn als oleh oleh, van een potje sambal tot een maatkostuum en een tweedehands fietsband.

Ik weet af te dingen tot een aantal T-shirts, een paar plastic autootjes, suiker, meel, snoepgoed en sigaretten en voor pa en ma een artistiek stukje handenarbeid, een vrolijk geschilderd houtzaagschildje met een spreuk in het Keiees.

Het wordt door de omstanders en Yekki vlot voor me vertaald in het Bahasa Indonesia: 'Verschillende akkers, dezelfde sprinkhanen.'

Yekki is er weg van. Volkomen nutteloze dingen kopen, dat is pas luxe. Over een paar dagen vertrekken we naar Kei Besar. Er gaat voorlopig toch geen boot naar Tanimbar en naar Aru al helemaal niet.

Het huis van mijn vader

Over die afspraak met vrienden heb ik tegenover Yekki niet gelogen. Op deze zondag ga ik met de familie Far Far mee naar de protestantse kerk. Ik doe dat niet in de eerste plaats uit beleefdheid tegenover de familie Far Far. Voornamelijk doe ik het omdat ik na mijn gesprek met Nyong over scheepsnamen van hem een papiertje heb gekregen waarop Bakar na afloop van het pasanggrahanfeest een paar mysterieuze woorden heeft geschreven.

Nyong kan het zelf ook niet goed ontcijferen maar het komt erop neer dat het huis waarin mijn vader heeft gewoond naar alle waarschijnlijkheid in de buurt van dat kerkje ligt.

Links ervan? Rechts ervan? Ervoor? Erachter? Nyong kan het onmogelijk opmaken uit het briefje van Bakar. Dicht bij de kerk in elk geval.

'En de school?'

'Die is weer in de buurt van het huis.'

Ik zie het als een aanwijzing van hogerhand dat mevrouw Far Far me die dag uitnodigt om de volgende morgen, op zondag, met haar mee te gaan naar de kerk.

Ik trek een schone rok aan en een smetteloze bloes. Ik poets mijn schoenen. Met de anderen loop ik het kerkgebouw in en ik zie met opluchting dat de ruimte aan alle kanten open is, zodat er een beetje koele wind doorheen kan spelen.

Ik voel me daarom heel prettig en zing ontspannen mee met de gemeente. 'Er ruist langs de wolken' in het Bahasa Indonesia.

Dan begint de dominee zijn preek. Wie weet is het een heel goede preek en is de dominee een bijzonder aardig mens. Maar mijn nekharen gaan recht overeind staan, zo voelt het tenminste aan.

Aan die manier van preken zijn wij in Nederland niet meer gewend. Zo preekte men allang niet meer in de tijd – de jaren vijftig zal het geweest zijn, toen ik voor mijn roman *De vrijwilliger* wat couleur locale ging opdoen in de plaatselijke protestantse kerk, want ik had er geen idee van hoe het daar toeging. Het viel mij erg mee. Het ging er in die tijd rustig en tolerant toe, tenminste in Amstelveen, waar ik destijds woonde.

Ik had weleens gehoord van een dominee die zijn gemeente dreigend en met opgeheven vuist toesprak, zodat hij neer kon kijken op gekromde ruggen en schuldig gebogen hoofden. Maar dat was vroeger, werd mij verzekerd.

Hier in Tual is vroeger nog steeds actueel. De dominee heeft een luide, galmende stem en belooft ons gruwelijke gevolgen van onze liefdeloze daden, een verschrikkelijk vonnis waarvoor ik meen zeker in aanmerking te zullen komen.

Ik blijf het een tijdje aanhoren, maar dan slaat de benauwenis toe. Veel wind komt er ook niet naar binnen tenslotte. De mensen zitten dicht tegen elkaar aan. Er lijkt angst op te walmen uit die opeengepakte lijven.

'Ik ga even weg,' fluister ik tegen mevrouw Far Far. Gelukkig zit ik aan het einde van een rij en met twee geluidloze passen sta ik buiten, op de open gang die langs de kerk loopt. Ik ga even zitten op een bankje en kijk uit over een droog grasveld en een hoge muur met daarachter groen van bomen en de punt van een dak. Daar staat een huis, wat achteraf gelegen, misschien met een lange oprijlaan. Ik haal diep adem. Zou dat het bewuste huis kunnen zijn?

Ik schat dat de dienst nog wel een halfuur duurt. Er kraait geen haan naar als ik even op onderzoek uit ga. Aan de andere kant van de kerk liggen open velden. Erachter is geen huis te zien. Er is een goede kans dat het huis dat ik zoek achter deze hoge muur ligt.

Op mijn gemak slenter ik langs de muur, probeer er zo dicht mogelijk bij te blijven. Ik loop van voor naar achter en strijk met mijn hand over ruwe steen, varens die uit spleten te voorschijn schieten en door ouderdom losbrokkelende gaten. Hier en daar verlies ik het contact met de muur als ik een hekje over moet klimmen, een droge greppel moet oversteken of als een doornige struik te dicht langs de muur groeit. Maar toch loop ik met betrekkelijk gemak naar de achterkant van het huis, waar ik een hoek omsla. Nu volg ik de wanden van de bediendenvertrekken van het huis, die altijd achter in de tuin liggen. Er loopt daar een *slokan* onderlangs de muur, er staat nog een beetje modderig water in. Het stinkt er, het lijkt me een plaats waar ratten huizen, ik loop er in een boog omheen. Pas aan het eind van de rij bediendenvertrekken kan ik de hoek omslaan en de muur weer aanraken. Een echte tuinmuur waar takken van bomen ver overheen groeien. Aan mijn rechterhand liggen nu rommelige tuintjes met puntige cacteeën waarop lege eierdoppen zijn geprikt. Een paar huisjes op palen liggen iets verder weg. Ik loop dus eigenlijk over het erf van de zijburen, maar er is op dat ogenblik geen levend wezen te zien.

De zijmuur die ik volg eindigt opeens en ik zie nu pas dat er voor het huis waar ik net omheen ben gelopen nog een ander huis ligt, nieuwer en groter, te oordelen naar wat ik ervan kan zien. Er is een smalle zijgang tussen de twee huizen maar ik kijk aan tegen de achterwanden van een andere rij bediendenvertrekken.

Aarzelend sta ik rond te kijken. Moet ik niet eerder het huis gaan onderzoeken dat pal aan de weg ligt? Dat is dan het huis dat het dichtst naast de kerk ligt. Maar het is duidelijk dat dit huis nog heel nieuw is. Ik verbeeld me dat ik de verflucht nog kan ruiken. De muur van de achterkant van de bijgebouwen is volkomen gaaf en het metselwerk ongeschonden. Dit is geen veertig jaar oud huis en ik weet nu zeker dat ik mijn vaders huis heb gevonden. Dat nieuwe huis staat op zijn vroegere voorerf, het heeft de hele oprijlaan in beslag genomen.

Ik kan alleen het dak van zijn huis zien. Het loopt vrij ver door zodat daaronder waarschijnlijk een schaduwrijke *emper* ligt. Ik dring de nauwe gang in, vlak achter het nieuwe huis. Het oude huis is duidelijk onbewoond want alles lijkt overwoekerd door een dichte haag van groen en in het wild groeiende bloemen. Ik kan de voorgalerij die hier pal achter moet liggen niet zien, want al is er geen muur aan de voorkant van het huis, er is een dichte haag van struiken, palmen en lage bomen. Ik ruik de doordringende lucht van *kemoening* en probeer verbeten de takken uiteen te schuiven, maar het lukt niet, er loopt bloed over mijn handen. Voorzichtig ga ik verder, zo dicht mogelijk tegen de muur van het voorhuis aan. Deze wildernis is hier in ruim veertig jaar ontstaan, lijkt me. Maar is dat wel mogelijk? Ik zie de knoestige stam van een ngamploengboom met zijn glimmende donkergroene bladeren en de ijle, helderwitte bloemtrossen die minstens tien meter boven mijn hoofd hangen.

In zijn brieven schreef mijn vader over een *kebon*, een tuinjongen, die hij in dienst had genomen en zelfs beschreef hij een tochtje naar Ambon waarop hij die jongen had meegenomen om daar wat bomen en struiken te vinden voor zijn kale tuin. Het moesten snelgroeiers zijn, die bovendien bestand waren tegen een weinig vruchtbare bodem. Ik kan mij niet meer herinneren of de tuinman van die tocht iets heeft meegebracht en wat dat dan was. Ik herinner me alleen mijn verwondering. Mijn vader had zich vroeger nooit voor tuinen geïnteresseerd. Het uitzoeken van planten en bloemen liet hij over aan mijn moeder, zo ging dat destijds. Het was natuurlijk mogelijk dat hij zich voor de tuin was gaan interesseren omdat er verder op Tual zo weinig te doen viel. Heeft hij dit alles hier laten planten? De *djati blanda*? De *koepoe-koepoe* die ik meen te herkennen? En is dat niet een *kajoe retah* met zijn aan de oppervlakte liggend wortelstelsel die de grond hier zo oneffen maakt? Daar is beslist een stokoude maar nog levende *tjempaka goening* met gele kelken en een *djarong* en een *kembang sepatoe*. Waarom doet het me denken aan een graf? Achter de bijgebouwen van het voorste huis hoor ik de gebruikelijke geluiden van een bezig huishouden; er wordt naar elkaar geroepen, er wordt gerinkeld met emmers. Water gutst uit kranen of een *pantjuran* op een stenen ondergrond. Ook meen ik de geur van een *arang*-vuurtje te ruiken. Kookt men hier dan nog op arang? Of ruik ik dingen van vroeger? Zijn het alleen associaties?

Terwijl uit de kerk een koorzang opklinkt, luid, heftig, gemengd met wat ik aanvoel als opluchting, als teken dat de dienst zijn einde nadert, sta ik daar in die smalle gang tussen de twee huizen in en zoek naar een opening die ik maar niet kan vinden. Door de dichtbebladerde takken heen zie ik iets schemeren in de diepte van het huis. Het lijkt of daar twee mannen zitten op rotanstoelen. Hun witte pakken lichten op in het donker. Mijn vader zit daar nog altijd en kijkt uit over zijn ruime voorerf. Over pas geplante struiken heen kan hij de baai zien liggen en de Rosenbergengte, waar een veerbootje heen en weer vaart. Naast hem zit de controleur die een tijdje bij hem inwoonde. Ook diens echtgenote was na het Japanse kamp nog niet toe aan een nieuwe periode van ontberingen.

Ik knipper met mijn ogen. Ik zal hier toch waarachtig niet een potje gaan staan janken! De dienst in de kerk zal nu binnen een paar minuten zijn beëindigd. Achter de wildernis die het huis van mijn vader afsluit van de buitenwereld zijn geen witte pakken te zien. Er is alleen een witte plek hier en daar: kemoeningbloesems en witte trossen bloesems van de ngamploengboom.

Waarom is dit huis niet gebruikt door de bevolking? Als het daarvoor te bouwvallig was, waarom is het dan niet gewoon opgeruimd? Ze hebben het laten staan. De tuinmuren zijn er nog. Loopt die tuinjongen nog ergens rond in Tual? Hij zal nu een vrij oude man zijn. Een ander huis is ervóór gezet, heeft mijn vaders huis de rug toegekeerd. Er zijn nog veel onbeantwoorde vragen. Ik hol langs de bomenhaag, kom bij de kerkmuur en zie de straat liggen. Over het erf van de voorburen ren ik ernaar toe. Ik zwaai even tegen een verbaasd opkijkende vrouw die kleren wast bij een put, ik roep een haastige groet. Zij lacht meteen luid, een beetje verschrikt door mijn plotselinge verschijning.

Met nog bonzend hart ga ik het trapje naar de kerk op. Maar er is niets gebeurd. Ik heb niet veel gezien. Het topje van een dak, een stukje verwilderde tuin, een stukje voorbije tijd.

Als de mensen de kerk uit komen, sta ik binnen bij de deur te wachten. 'Is alles goed?' vraagt mevrouw Far Far bezorgd.

Uit mijn tasje haal ik een papieren zakdoekje en veeg er mijn bezwete gezicht mee af. 'Ja, alles is goed,' zeg ik en als we op de weg staan kijk ik nog even achterom over mijn schouder.

Alleen het topje van een dak tussen wat groen, maar ik weet nu waar hij heeft gewoond en ook vroeger hield hij er niet van als je hem te dicht op zijn huid zat.

Even later komen we langs een oud schoolgebouwtje dat nog steeds in gebruik is. Het hekwerk is pas vernieuwd en de lokalen zijn fris licht en donkerblauw geschilderd. Ik twijfel er niet aan dat dit zijn vroegere school is. Het is precies het lagere schooltje waar ik zelf op heb gezeten toen ik aan het eind van de jaren twintig in Indië aankwam. Zo mooi worden ze nu niet meer gebouwd.

Het eiland Kei Besar

Bijna alles wat je voor het eerst ziet wordt gekleurd door je eigen stemming. Mijn stemming is die dag niet zo best en misschien daardoor krijg ik een slechte eerste indruk van Kei Besar en de hoofdplaats Banda Elat.

Na drie uur varen met Yekki, die drie uur lang met haar mond vlak bij mijn linkeroor praat over de tegenspoed in haar leven, weer over die Duitse toerist die zo in gebreke is gebleven na zijn vurige beloften bij het afscheid, zakt mijn stemming ver beneden het normale peil.

Ik probeer Yekki af te brengen van het zetten van al haar hoop op een jonge rijke toerist. Ik raad haar een internationale penclub aan.

Mijn hulp blijft beperkt tot het opschrijven van een adres. Ze neemt het papiertje tussen onwillige vingers en dat is geen wonder. Zo'n correspondentiebureau, de reeks brieven, een eventuele uitnodiging en ontmoeting, het is te veel rompslomp vergeleken bij de mogelijkheid dat 'een knappe jongeman met rugzak' op een dag zomaar voor haar zal staan bij de deur van de Parawisata. Even later zie ik het slordig weggestopte papiertje uit de zak van haar jack vallen, over het dek waaien en in zee verdwijnen.

Mijn stemming zakt ook doordat ik tob over mijn dollars. Zal ik toch iets beleggen in de boot van Nyong? Moet ik nog wat extra dollars bijdragen aan de warong van Yekki? Ik besluit alleen een zeil te financieren als ik zeker weet dat ik

Nyong toch nooit meer zal zien en de warong van Yekki kan voorlopig nog wel even voort met de honderd dollar plus het geld dat ze verdient door mij van dienst te zijn op Kei Besar. Mijn stemming blijft zakken, want ik merk dat ik de praktische hulp van Arif en de humor en tact van Nyong nog slecht kan missen. Mijn gedachten blijven teruggaan naar het huis dat ik gisteren heb gevonden. En aan mijn reactie daarop. Eénmaal eerder in mijn leven heb ik een geliefd huis van vroeger teruggezien. Dat was tijdens mijn reis door Sumatra in 1980. Ik ging 'Terug naar de Atlasvlinder', terug naar het dorp Lahat.

Daar vond ik het oude houten huis waar de roman *De Atlasvlinder* zich afspeelt. Ik maakte er een foto van. Eenmaal terug in Nederland heb ik lang naar die foto gekeken. Ik liet hem vergroten, hing hem aan mijn kamermuur. Maar dat hielp niet. Zodra ik die foto zag voelde ik mij schuldig. Want ik was er niet binnen gegaan. Op het trapje naar de voorgalerij, de plek waar ik vroeger zo vaak 's avonds zat uit te kijken over de tuin die toen nog doorliep tot de beek waar mijn eenden zwommen, staat op de foto een opgewekt jongetje en zijn Indonesische moeder, die mij met een vriendelijke glimlach aanziet. Ze zou het vast niet geweigerd hebben als ik haar had gevraagd of ik binnen mocht komen om nog eens, voor de laatste keer, in die voorgalerij te zitten, te horen waarom er nu een weg aangelegd moest worden, dwars door onze voortuin heen. Ik had door het kantoortje van mijn vader kunnen lopen en door de vroegere eetkamer, waar de aardewerken *gendih*'s met ijswater klaarstonden op het buffet. Vanuit de eetkamer had ik de achtergalerij op kunnen lopen, waar destijds het fonteintje was waar we voor het eten onze handen moesten wassen. Ik zou de achtertuin hebben kunnen zien met de hoge boom, waar tussen de wortels elke avond een kopje koffie werd geplaatst. Die koffie was bestemd voor de geest die in die boom huisde en voor mij was hij even reëel aanwezig als de kokkie in haar keuken, de baboe bij de put, de djongos bij het houten afdruiprek op de galerij en de witte papegaai die daar op zijn stok zat. Ik had de put kunnen zien en de djeroekboom die het laatste tehuis was geworden van mijn grijze aap Keesje, die eigenlijk in de bergen thuishoorde.

Maar ik maakte alleen snel een foto, riep een vrolijke groet naar de nieuwe bewoonster en liep toen weg. Waarom? Achteraf vind ik het onbegrijpelijk. Je reist duizenden kilometers om een huis terug te zien en als je er bent weet je je met je houding geen raad. Een vlucht lijkt de enige mogelijkheid.

En nu, tijdens deze reis naar Kei, heb ik weer lang en ver gereisd. Op zoek naar de pasanggrahan en het woonhuis van mijn vader heb ik met veel mensen gepraat, veel extra tochten gemaakt voordat ik uitkwam bij het huis. Wel ben ik deze keer de pasanggrahan binnen gegaan, ik heb er een foto van gemaakt. Maar bij het woonhuis had ik weer dat gevoel dat ik alleen snel even mocht kijken, dat het eigenlijk niet voor mijn ogen was bestemd. Ik had best nog kunnen gaan praten met de mensen van het huis dat nu op het vroegere voorerf van mijn vader staat. Ze zouden me vast wel iets hebben kunnen vertellen. Naar de destijds nog heel jonge kebon heb ik niet eens geïnformeerd. Dat is toch onverklaarbaar?

Is het soms zo dat ik er gewoon niet aan wil dat ik zo langzamerhand al aardig oud ben geworden en dat elke keer daarom waarschijnlijk wel de laatste keer is? Geef ik mezelf de kans om terug te keren naar Kei Kecil en dan alles af te maken wat ik nu heb nagelaten? Wil ik soms graag nog een keer naar Lahat om meer te zien dan ik toen zag? En nog eens terug naar Tual?

Als onze boot het haventje van Banda Elat, de hoofdplaats van het eiland Kei Besar, invaart zie ik deze tocht helemaal niet meer zitten. Het ruikt hier smerig. Een paar half weggezakte scheepswrakken steken uit het water. Aan de kade staat een rij rommelige huisjes. Achter dat alles ligt een land vol beboste hellingen; er schuiven wolken voor de zon. De kleuren groen zijn verfletst tot grijs en het landschap lijkt uitgetekend in slordige lijntjes en donkere vlakken zonder een derde dimensie.

Van Yekki kom ik niet veel te weten over het eiland waar zij is geboren. Ze blijft een paar feiten herhalen waar ze het al eerder over heeft gehad: dansfeesten – mooie kostuums – geen houtkap – alles kost praktisch niets. Als ik haar vraag naar bouw en ligging van kustplaatsjes als het dorp Haar waar ik het een en ander over heb gelezen, dan zegt ze nooit dat ze daar eigenlijk niets van weet, maar begint een nieuw verhaal over haar persoonlijke tegenspoed. Daar is in het intermenselijk verkeer niet zoveel op tegen – we maken ons er allemaal vroeg of laat wel schuldig aan – maar de relatie tussen Yekki en mij heeft een zakelijke kant en daar wordt weinig rekening mee gehouden.

Ik wil graag weten of de krijtwitte rotsen van Haar vanaf zee te zien zijn en of de witte, zachte steensoort ten zuiden van die kampong nog wordt gebruikt voor het maken van stenen voor een smidse en voor de vormen die nodig zijn bij de sagobereiding. *Soeffan* noemde men dat materiaal. Zegt dat woord haar iets? Natuurlijk kent zij dat woord en als de Ibu speciaal naar Haar wil, dan kan dat, ze zal overleggen met haar broer, zij doet alles wat Ibu wil en zij zal er alles over vertellen. Maar nu moeten we eerst een losmen zien te vinden waar we kunnen overnachten.

Terwijl we de flauwe helling naar het dorp oplopen, probeer ik nog iets te weten te komen over de middelen van bestaan. De mannen gaan naar Tual of naar Ambon of Bali, zegt ze. Over visvangst. Het brengt niet genoeg geld op, zegt ze. Oude legenden dan maar. Daar houden wij jonge mensen niet meer van, is haar reactie. Bosbouw? Wat wilt u daarvan weten, vraagt ze, er is echt geen houtkap, hoor!

Zwijgend volg ik haar ten slotte langs de hete stoffige weg naar het losmen dat Adios heet. Het ziet er niet bijzonder uitnodigend uit, maar vanbinnen blijkt het beter dan vanbuiten. Er is een binnentuin met een metershoge *ketjoeboeng*, een daturaplant met tientallen geelwitte neerhangende kelken. Ook zijn de hotelkamers hier zoals hotelkamers in Indonesië moeten zijn; hoog, koel en kaal met op de witgesausde muren een paar tjitjaks en verder alleen een comfortabel klamboebed. Misschien kan ik hier een paar dagen vakantie houden?

Ik neem twee mooie eenpersoonskamers naast elkaar en mijn humeur begint zich net een beetje te herstellen als Yekki met haar voorstel komt: 'Als Ibu mij nu de prijs voor die ene kamer geeft, dan slaap ik in het huis hiernaast, bij mijn oom en tante. Voor Ibu kan dat toch geen verschil maken?'

Het gekke is dat het blijkbaar wel degelijk verschil maakt. Ik sta van mezelf te kijken en zeker niet met voldoening. Voor die vijfentwintig gulden die een eenpersoonskamer hier kost, heb ik mezelf willen verzekeren van een beetje gezelschap-op-afstand, iemand dichtbij, bijna te beroepen in geval van nood. In geval van nood? Dat is toch helemaal niet aan de orde? Ik slaap toch zo vaak alleen in onbekende hotelletjes, soms zelfs van een wat sinister kaliber en nog nooit heb ik de neiging gevoeld om midden in de nacht bij een vriend of vriendin aan te kloppen om een aspirientje of een woord van troost. Toch voel ik nu teleurstelling. Zie ik Yekki dan toch meer als vriendin dan als werkkracht? Nee, ik beschouw haar toch echt als werkkracht en dan nog als iemand die haar drie tientjes per dag niet altijd waard is. Maar ik weet dat ze moet sappelen om haar kost te verdienen dus geef haar eens ongelijk als ze zoveel mogelijk munt probeert te slaan uit deze situatie!

'Allright, Yekki!' zeg ik, 'die tweede kamer zeg ik wel af en het geld is voor jou.'

Ik zie haar brede glimlach, hoor haar uitroep van tevredenheid, die op mij de indruk maakt van: ik wist het wel, ze is een zacht ei.

'Maar,' ga ik verder, 'het bedrag dat het losmen voor de kamer vraagt is inclusief het ontbijt en een warme maaltijd. Het spreekt dus vanzelf dat jij dan ook eet bij je oom en tante. Waar je slaapt daar eet je.'

Dat slaat natuurlijk nergens op, maar voor mijn part mag ze denken dat het in Nederland vanzelf spreekt.

Ze knikt gelaten maar geeft het niet meteen op.

'Ibu wil toch zeker niet alleen eten? Dat hoort niet. De mensen zullen denken dat Ibu maar een gewone toeriste is. Ze is een beroemde schrijfster in haar eigen land. Dan loop je niet alleen rond. Dan eet je niet alleen.'

'Maar je slaapt zeker wel alleen! Het maakt dus allemáál niets uit!' snauw ik.

Dit is een van die kleine theaterstukjes aan het worden die zich jarenlang 's nachts om drie uur bij mij zullen aandienen. Ik zal me Yekki's gezicht nauwelijks meer kunnen herinneren, maar in veel nachten zal ik nog beschaamd maar heel scherp mijn eigen stem kunnen horen die haar van repliek dient. Ik ben vanuit Nederland een vreemde wereld binnen gereisd. Steeds werd die wereld minder vreemd, merkte ik tot mijn voldoening en heimelijke trots op. Nu blijkt die wereld weer veel vreemder dan ik ooit had kunnen denken. Vertelde de mythe niet dat werkkrachten altijd geduldig en gewillig waren en zich geliefder maakten dan een bloedverwant ooit kon worden? Ze vergaten je nooit, stonden altijd voor je klaar, lieten hun familie voor je in de steek, spraken je nooit tegen, keken naar je op, aanbaden je bijna en brachten je gratis bloemen en zelfgebakken cake. Hier in dit land waren we altijd Onze Lieve Heer en Maria in één geweest. Is dat nu ineens anders? Of ben ikzelf anders en zij alleen maar meer zichzelf?

'Goedenacht, Yekki,' zeg ik en mijn stem is, zonder dat ik daar iets aan kan doen, een beetje veranderd. Het is een stem waarmee je nooit spreekt tegen een meerdere of een mindere. Je gebruikt die stem-van-alledag voor je gelijke.

Banda Elat

In de schaduw van de monsterdatura staat de volgende ochtend mijn ontbijttafel klaar. Op het ongeverfde, door geen laken bedekte hout staat een schaal met gebakken rijst en een schotel met repen omelet. Ook is er nog een schaaltje ananasschijven en een banaan. Er staat een kan koffie en een plastic beker.

Deze dag ben ik de enige gast en de eigenaar Benoni komt bij me zitten. Meester Zikken? Natuurlijk kent hij die. Hij heeft bij hem op de lagere school in Tual gezeten. Negen jaar was hij toen hij daar op school kwam, maar hij moest van voren af aan beginnen in de eerste klas, want hij sprak geen woord Nederlands. Hij zat tussen de kleintjes, dat vond hij vreselijk. Maar de juffrouw was wel lief. Juffrouw De Neef, een Surinaamse was dat met kort *kriting* haar, van die kleine springerige krulletjes. Meester Zikken zelf gaf les in de hoogste klassen.

Hij vertelt het allemaal heel aannemelijk. Ik heb dit verhaal ook gehoord van mensen die kennelijk nog nooit een school vanbinnen hebben gezien, maar ditmaal geloof ik wat er wordt verteld. Ik herken de naam De Neef uit de brieven van mijn vader.

Benoni springt op, een beker koffie nog in zijn linkerhand. Hij loopt om de daturaplant heen: 'Kijk, zo kwam meester Zikken onze klas binnen!' Benoni imiteert de loop van een enigszins manke man. Hij is een goed acteur. Hij lijkt opeens langer en magerder dan hij in werkelijkheid is. Je krijgt de indruk dat hij autoriteit heeft en dat hij het druk heeft met bevelen geven aan zijn benen die niet helemaal willen zoals hij zelf wil.

'Ja, ja, hij liep een beetje mank!' mompel ik en verslik me haast in de koffie want ik zou Benoni wel kunnen omhelzen omdat hij nog zoveel weet, omdat hij zich nog van alles kan herinneren, omdat er zoveel is blijven hangen bij die eersteklasser.

'Als wij te druk waren bij juffrouw De Neef, als wij schreeuwden en lawaai maakten, dan kwam hij de klas in en zei: "Rustig jullie! Blijf rustig temidden der woelende baren!" Dat was een Nederlands gezegde maar het stond niet in ons boekje *Spreuken en Gezegden*. Het was een gezegde van meester Zikken. Zo mooi vond ik dat!'

'Uit het Latijn,' zeg ik en neem weer een haastige slok koffie. Hoe was dat precies? *Tranquillus in undis*, zoiets. De woelende baren was een vrije vertaling. Was het trouwens niet woedende baren? Hij zei het vaak en ik associeer het nog steeds met een afbeelding in een kinderbijbel waar een verhaal over de zondvloed in voorkwam. Mensen, half naakt, zijn op rotsen aangespoeld. Torenhoge golven slaan over hen heen, de wereld dreigt te vergaan. Maar die halfnaakten waren de gelovigen en zij bleven rustig temidden der woelende baren. Toch zal het niet mijn vader zijn geweest die mij die kinderbijbel in handen gaf. Zijn filosofie werd samengevat in de spreuk die hij eens eigenhandig voor mij in sierletters op een wit vel luxepapier tekende en daarna ook zelf inlijstte. Ik hing het boven mijn bureautje. *Ignoramus et ignorabimus*. Wij weten niet en wij zullen nooit weten, daar kwam het op neer. Het verschil tussen hem en mij was dat hij zich daarbij had neergelegd en dat mij dat maar niet lukte.

'Wij weten niet en wij zullen niet weten,' zeg ik. 'Dat zei hij ook vaak.' Ik spreek het hardop uit onder de datura, maar het klinkt vreemd in deze stille tuin.

'Dat heeft meester Zikken nooit gezegd,' reageert Benoni verbaasd. 'We moesten juist van alles weten, de tocht naar Chatham en de Slag bij Nieuwpoort en de tafels van zeven en negen, die waren het moeilijkst. En dan de "als-maar-dus-sommen". Want toen ik Nederlands geleerd had bij juffrouw De Neef, mocht ik een paar klassen opschuiven en toen kreeg ik toch nog les van de meester zelf. Maar op een dag was hij plotseling verdwenen, want zo ging dat in die tijd. Zo gaat het nu ook nog. Hier in het losmen bijvoorbeeld. De mensen komen, de mensen gaan, zo is het leven.'

Ik haal tevreden diep adem. We zijn gelukkig weer terug bij de clichés van alledag.

Soezend blijven we een tijdlang aan de ontbijttafel zitten. Ik denk aan Carlos Castaneda, die in een boek over de magische indiaan Don Juan beschrijft hoe hij om een daturaplant heen moet lopen om in trance te raken. Heeft de datura een bedwelmende uitwerking op een mens? We zitten nu al een halfuur zwijgend boven de koud geworden rijst en lijken tot niets meer in staat. Het is halfacht in de ochtend. Yekki komt binnen door het tuinpoortje en schuift meteen bij ons aan.

'U moet niet zo lang onder de ketjoeboeng zitten,' zegt ze, 'dan valt u in slaap.'

Ik pak de koffiekan, die nog warm is. Ik schenk haar een beker vol in. 'Wil je suiker?'

Ze knikt en pakt drie suikerzakjes van het stapeltje. Al pratend tegen Benoni – over de kippen op het erf, over het aantal eieren dat ze leggen – grijpt ze mijn lege bord en mijn lepel. Ze schept koude rijst op uit de schaal. Maar dan legt ze de lepel opzij, pakt met twee handen de schotel met omelet en laat met aandacht de rest van mijn ontbijt op haar bord glijden. Ze schudt wat sambal uit de pot en begint te eten met de toppen van haar vingers. Het lijkt bijna een dans. Ik kijk er betoverd naar, maar schud dan de opkomende lethargie van me af.

'Waar heb je eigenlijk afgesproken met je broer?' vraag ik. 'Die gaat ons toch naar Ngefuit brengen?'

'Bij de brug over de rivier,' zegt ze.

'Die brug is kapot,' verduidelijkt Benoni.

'Morgen misschien,' antwoordt Yekki en ze grijpt mijn lepel weer en schept nog wat koude rijst op.

'Neem ook wat ananas,' zeg ik.

Ze knikt en schuift de inhoud van het schaaltje fruit op haar bord. Ze doet er sambal overheen. Ik schenk haar nog wat koffie in. Ik vraag: 'Waarom niet vandaag?'

Yekki houdt even op met eten en kijkt me verbaasd aan. 'Kan toch niet,' zegt ze. 'Hij is er nog niet.'

Ik weet nu opeens zeker dat er van een datura, en ongetwijfeld van zo'n enorme datura als deze, die de hele dag in de volle zon staat, een bedwelmende invloed uitgaat. Die plant lijkt een haast zichtbaar aura te hebben van wit flikkerend licht dat beurtelings zwakker wordt en sterker, zwakker en sterker.

'Ibu heeft nog slaap,' zegt Yekki tegen Benoni.

'Kom, we gaan naar binnen,' zegt die, 'binnen is het koeler.' Maar Yekki zit nog te eten.

'Schep nog wat op,' zeg ik, 'en neem het bord dan mee naar binnen. Ik zal iets koels te drinken bestellen, *ayer djeroek* of zoiets.'

'Een cola voor mij,' zegt Yekki en we schuifelen het huis binnen. Benoni gaat naar de keuken om onze drankjes te halen.

'Leg het me nu eens even uit,' zeg ik. 'Je broer komt dus

niet vandaag. Hij komt misschien morgen.'

'Morgen zou wel kunnen. Misschien heeft hij dan tijd, ik weet het niet zeker.'

'Dus morgen komt hij misschien naar die kapotte brug over de rivier? Waar ligt die brug precies?'

Yekki maakt een vaag gebaar met haar linkerhand die ze niet gebruikt bij het eten: 'Daarginds!'

'En waar is daarginds precies,' vraag ik geduldig aan Yekki. 'In het centrum van Banda Elat of aan de buitenrand? In het zuiden, het noorden of het oosten? Ver buiten het dorp misschien? Kun je er een plattegrond van tekenen?'

Yekki barst in lachen uit. Ze heeft nu haar bordje leeg, maar gelukkig heeft ze mijn banaan meegenomen. Ze laat de schil op de grond vallen en neemt een hap. Stikkend van de lach en het eten wuift ze nog eens met haar hand naar een vage verte.

'Ver?' vraag ik. 'Dichtbij? Richting? Is het te belopen? Moet ik een busje huren?'

Yekki merkt nu blijkbaar dat ik het niet zo leuk vind als zij en haastig zegt ze: 'Nou, vijf kilometer. Of tien. Misschien iets meer. Hoogstens twintig. Ibu moet zich geen zorgen maken. We huren een minibusje en gaan erheen. Morgen. Of anders overmorgen. Bij de brug stappen we uit, we lopen naar beneden naar het riviertje. We stappen over de stenen, we gaan tot de overkant, klimmen daar omhoog en kijk eens!, daar staat mijn broer met zijn jeep. Hij rijdt ons de bergen over, door de bossen naar desa Ngefuit dat aan de kust ligt. Ngefuit Bawah. Er is ook een Ngefuit Atas, dat ligt hoger maar daar moeten we niet zijn.'

Het is een boel informatie voor haar doen, maar veel ben ik er nog niet mee opgeschoten. Het enige dat ik nu zeker weet is dat er vandaag niet naar Ngefuit wordt gereden. Ik kijk uit het raam en zie de winkelstraat liggen, waar de zon van het asfalt lijkt te spatten. Er staat een rij minibusjes. De bestuurders zitten werkeloos naast elkaar op de stoeprand hun kreteksigaretten te roken.

'Wil jij even zo'n minibusje gaan huren voor deze ochtend?' vraag ik. 'Veel wegen zijn hier niet, dus huur er maar een voor vier of vijf uur. Ik betaal hetzelfde als op Kei Kecil. Zesduizend roepia per uur. Je kunt desnoods iets hoger gaan omdat men op dit eiland natuurlijk extra kosten heeft doordat alles per boot moet worden aangevoerd. Op Ambon betaalde ik maar vijfduizend per uur. Ik laat het aan jou over.'

Yekki knikt. Ze lijkt wel zin te hebben in haar opdracht. Bij het fonteintje gaat ze haar handen wassen en staat er een kwartiertje te flirten met een net binnenkomende Keiese gast. Als Benoni de gast meeneemt naar zijn kantoortje, drentelt ze naar buiten, ik hoor haar neuriën.

Bij het open raam zoek ik een plaatsje aan een wankel tafeltje. Ik wil er mijn reisdagboek gaan bijwerken, maar ik word afgeleid door wat er buiten gebeurt. Yekki staat beurtelings stil voor de paar etalages die deze straat rijk is. Ze raakt in gesprek met voorbijgangers en een enkele winkelier die in de deuropening staat. Dan komt ze bij het groepje chauffeurs en gaat bij hen op de brokkelige trottoirrand zitten. Er is niet veel verkeer. Er rijden hier bijna geen auto's, dus ik kan alles goed zien. Alleen valt er eigenlijk weinig te zien. Het is niet uit te maken of Yekki al onderhandelingen over het huren van een busje is begonnen. Ik zie dat ze praat en lacht en ook een sigaret rookt. Ze wijst in de richting van de haven en ik kan haar bijna horen vertellen dat we daar gisteren pas zijn aangekomen. De chauffeurs slaan zich op de knieën van plezier. Is dat het verhaal van haar transactie met mij over het uit te betalen bedrag van de niet gehuurde hotelkamer? En is daar nog een transactie op gevolgd met oom en tante? Hoeveel hebben die kunnen vangen? Niet al te veel, want ze hebben er geen ontbijt bij hoeven te leveren. Maar iedereen was best tevreden en ik merk dat ik zelf ook sta te glimlachen. Toch blijf ik het groepje daar beneden op straat vanuit de iets hoger gelegen losmen met argusogen gadeslaan, want ik verwacht elk ogenblik een van de mannen te zien opspringen om zijn busje aan te prijzen. Dat gebeurt niet, er wordt alleen gezellig gepraat en Yekki neemt een tweede sigaret. Zou ze zo hard moeten afdingen? Wat een onzin! Dan betaal ik voor deze ene dag toch gewoon tien gulden per uur in plaats van zes? Van tien gulden kun je hier een hele tijd leven. Ik probeer me te concentreren op mijn opschrijfboekje maar kan het niet nalaten elke vijf minuten uit het raam te kijken om te zien hoever de zaken zijn gevorderd. Na een halfuur sta ik op, stop mijn logboek in mijn tas en loop op mijn beurt naar buiten, steek de straat over en sta dan tegenover de rij chauffeurs en een breed lachende Yekki.

'Heb je er al een kunnen huren?' vraag ik. En dan moet ik eerst alle mannen een hand geven, want ze hebben al veel over me gehoord. 'Ik zou nu wel willen vertrekken,' zeg ik.

'Ik heb niets kunnen huren,' zegt Yekki onverschillig. 'Ze zeggen dat ze dat hier niet doen. Ze zijn dat niet gewend. Ze kunnen ons wel naar een vaste plek brengen, maar dan moeten we even wachten tot de mensen van de pasar terugkomen en met deze busjes weer naar hun dorp gaan. Zie je, Ibu, ze weten hier niet hoeveel ze per uur moeten vragen.' Ze praat tegen me in het Engels, en in het Bahasa Indonesia zeg ik nu tegen de mannen: 'Ik wil graag een busje huren voor een paar uur. Ik betaal zesduizend roepia per uur. Ik garandeer vier uur voor deze ochtend. Als het langer gaat duren, betaal ik natuurlijk meer. Ik wil eerst naar de pottenbakkers hier in de omgeving en ik wil naar de oostkust. We kunnen ook langs de nieuwe weg naar het noorden rijden, in de richting van Bombai.'

'Nee,' zegt een van de mannen, 'dat zijn we hier niet gewend. Ik kan u wel naar de oostkust brengen, maar dan moet u wachten op de mensen die straks van de pasar komen en wachten tot het busje vol is.'

'Maar als jullie niet gewend zijn het busje per uur te verhuren, dan kun je daar vandaag toch mee beginnen?' Het argument klinkt mij redelijk in de oren, maar de mannen kijken me stomverbaasd aan.

'Ik betaal zesduizend roepia per uur,' herhaal ik nog maar eens. 'Ik heb hem in ieder geval wel vier uur nodig. Dat wordt dus vierentwintigduizend roepia voor deze ochtend, laten we zeggen vijfentwintigduizend roepia tot een uur of één. Wil niemand vijfentwintigduizend roepia verdienen?'

Vijfentwintigduizend roepia? Daar kijken de mannen toch van op. Het is in Nederlands geld nog geen vijfentwintig gulden, maar je kunt er hier op dit eiland heel wat voor kopen als je geen toerist bent.

De mannen praten opgewonden met elkaar, schudden aarzelend hun hoofd en vragen me dan of ik misschien een stukje papier bij me heb en een pen en of ik daar dan het bedrag op wil schrijven.

Ik scheur een blaadje uit mijn notitieboekje en schrijf met duidelijke letters: 'Van 9-1 = 25 000 roepia.' Ik haal het geld uit mijn portemonnee en wil het de man die me het meest aanstaat in handen duwen. Maar nee, dat zijn ze niet gewend. Natuurlijk wil hij best rijden als we om één uur hier terug zijn en als ik hem dan het geld geef. Nog even kijkt hij me aarzelend aan, hij weet niet wat hij aan me heeft, maar Yekki zegt iets in het Keiees en dat stelt hem gerust.

'Zei je dat ik goed ben voor het geld?' vraag ik Yekki.

'Nee, ik zei dat hij om één uur de laatste pasargangers nog naar huis kan brengen voor zeventig roepia per persoon. We moeten dus wel op tijd terug zijn.'

Maar de chauffeur twijfelt niet meer aan onze goede bedoelingen. Lachend trekt hij de portieren van een roestig blauw busje open en springt erin. Ik spring naast hem. Yekki zit nog aan de kant te roken.

'Vanmorgen heb ik je eigenlijk niet nodig,' zeg ik tegen haar, 'maar je mag mee natuurlijk. Dan moet je wel achterin. Het is te heet om met z'n drieën opeengepakt op de voorbank te zitten. Dan kan ik me nauwelijks bewegen en ik moet foto's kunnen maken. Ga gerust terug naar je oom en tante en stuur een boodschap naar Ngefuit. Of heb je andere plannen?' Yekki springt verontwaardigd overeind. Haar hele dag is toch zeker voor de Ibu! Ze begeleidt me. Ze helpt me, doet boodschappen voor me, dat is haar werk. Ze denkt er niet over mij alleen te laten gaan.

Ze rukt het voorste portier weer open en wil mij opzij schuiven, maar ik geef geen krimp.

'Achterin is meer plaats,' zeg ik.

Ze haalt haar schouders op en blijft nog even staan praten met een voorbijganger, een knappe man met borstelige snor en een zilverkleurige halsketting op een blote borst. Even later stapt ze achterin en de knappe man volgt haar.

'Hij moet naar Bombai,' zegt ze, 'en ik heb gezegd dat hij wel voor niets mee kan rijden.'

'Dat treft dan,' zeg ik alleen. 'Dan gaan we deze ochtend naar Bombai, maar eerst wil ik naar de pottenbakkers.'

Ze praat even met hem in het Keiecs en zegt: 'Hij vindt het goed.'

'Gelukkig maar,' zeg ik.

Na het bekijken van het werk van de pottenbakkers rijden we de nieuwe weg naar het noorden op. Ik vraag onze medepassagier voor mij alle poëtische namen te spellen van de dorpen waar we doorheen komen: Wakatran – Wakal – Algurdu – Soinrat – Warkat (zijweg) en dan zijn we al dicht bij

Bombai. We zetten hem iets vóór die kampong af want de wegverharding loopt nog niet helemaal tot aan dat dorp. Hij verdwijnt tussen het groen, lopend over een boomstammetje dwars over een smalle kloof.

We wandelen wat rond en zitten even later in de voortuin van Pak Jejanan op een houten bankje aan een boomstamtafeltje tussen de pisangbomen. Diep beneden ons ligt een beboste helling met kokospalmen, hoge varens en kapokbomen. Nog lager ligt de baai met hier en daar een eilandje. Het is een uitzicht om verder wensloos oud bij te worden.

Pak Jejanan begroet ons in het Nederlands. Jarenlang heeft hij in Nederland gewerkt maar na zijn pensioen is hij naar huis gegaan. Geef hem ongelijk! Hier is het paradijs nog ongerept. Ik zou graag willen terugkomen om hier maandenlang werkeloos te wonen met dit uitzicht over de Bandazee.

'En met drie pembantu's,' zegt Jejanan.

'Waarom drie?' vraag ik.

'Een om u te begeleiden als u boodschappen wilt gaan doen, een om voor u de was te doen en een om voor u te koken.'

'En dan moet ik nog een huis hebben. Zo'n klein huisje als dit. Met een bankje en het uitzicht op de baai.'

Dat kan. Ik hoef het maar te zeggen. Jejanan rekent voor me uit dat huur en bedienden me tachtigduizend roepia per maand zullen gaan kosten. Dertigduizend voor de drie pembantu's en vijftigduizend voor het huisje. Als ik tenminste aan één kamer genoeg heb. Dan komt er nog wel het eten bij natuurlijk en oleh oleh uit Nederland en wat feestjes voor de dorpsbewoners. Daar zullen ze op rekenen. Dat alles kan nog aardig oplopen, dat moet hij er eerlijk bij zeggen. Hij weet ervan mee te praten. Maar dat is toch geen bezwaar voor mevrouw? Mevrouw heeft toch wel geld?

Yekki heeft het allemaal niet zo snel kunnen volgen want met Jejanan heb ik in het Nederlands gesproken. Ze trekt nu aan zijn arm en hij moet snel, snel, alles in het Bahasa Indonesia vertalen. Hij doet dat te goeder trouw, zonder een idee te hebben dat hij daardoor mijn kansen op het betreden van dit net ontdekte paradijs aan het wankelen zal brengen.

Ik zie haar gezicht betrekken. Ze kijkt me streng aan.

'U hebt mijn salaris vergeten,' zegt ze. 'Ik verdien dertigduizend roepia per dag, dat is het tarief van de Parawisata. Dat wordt dus negenhonderdduizend roepia per maand.'

Ik zucht. 'Het is nog maar een vaag plan, Yekki,' zeg ik. 'Meer een droom eigenlijk. Ik moet er nog over nadenken.'

Op de terugtocht naar Elat stoppen we onderweg nog bij botenbouwers, bij vissershuisjes die op palen in zee staan. Soms stoppen we midden in het oerwoud op een helling waar het oude busje moeilijk tegenop kan. De mannen springen dan de bus uit en duwen. Er is genoeg hulp, want bij elke nederzetting, soms van niet meer dan drie hutten, staan wel een paar mensen die haastig hun patjol of kapmes neergooien, een shirt van de waslijn grissen en achter in het busje springen. Ik zie de chauffeur extra geld innen: tien roepia, twintig roepia. Vanaf vandaag zal wel geen chauffeur in Elat meer zeggen dat het hier niet de gewoonte is een busje per uur te verhuren.

Als de mannen duwen, blijft Yekki meestal staan kijken en flirten. Ik kan dat haast niet aanzien, zo benijd ik haar het plezier van het kijken naar die goed gebouwde mannenlijven en de uitdaging van een lach, een uitroep, een lichte aanraking.

Soms loop ik in mijn eentje even het oerwoud in. Dat begint al vlak naast de verharde weg. Ik kom niet verder dan een paar passen. Het dichte bos blijft ongenaakbaar en laat mij zonder kapmes niet toe. Ik moet hier terugkomen met een echte gids die een pad voor mij vrijmaakt, stenen voor mijn voeten weg raapt, takken voor mij opzij buigt, een slang voor mij de kop afhakt. Iemand die een afdakje voor mij kan bouwen van takken en bamboe als ik wil schuilen of slapen.

'Instappen, Ibu,' roept Yekki, maar ze steekt me geen helpende hand toe als ik over een diepe greppel moet springen.

Ze zit al voor in het busje want achterin is het nu overvol. Ik pers me naast haar. Een zoete parfumlucht dringt in mijn neus. Eigen schuld. Bij aankomst in de haven heb ik in een winkeltje vijf minuscule flesjes parfum gekocht van vijfhonderd roepia per stuk. Ik verzamel oleh oleh, want daar heb ik nooit genoeg van bij onze vele bezoekjes aan de huizen van gastvrije mensen. Natuurlijk is het moeilijk de oleh oleh in mijn tas op te bergen en te doen of ik het gretige gezicht van Yekki niet zie.

'Mag ik even ruiken, Ibu?' Ze giet een paar druppels uit het flesje op haar zakdoek, dan een paar druppels in haar halsopening. Ik berg de flesjes minus één in mijn tas. 'Hou het maar.'

Ze knikt en smeert zich meteen met parfum in alsof het muggenolie is. Bij ons laatste oponthoud heeft ze het flesje weer te voorschijn gehaald. In het busje stijgt nu de doordringende geur op van Japanse jasmijn. Die is sterker dan de geur van zweet en kreteksigaretten. Wat heb ik dan eigenlijk te klagen.

Yamtil

De desa Yamtil, iets zuidelijker gelegen, aan de oostkust van het eiland, ziet er wat de huizenbouw betreft anders uit dan de dorpen aan de westkust. Het is er schilderachtiger, een wijd open landschap met hier en daar bossen met waaierpalmen, klapperbomen en oliepalmen. De huizen hebben wanden met houten steunpalen. Daartussen latjes van gespleten bamboe, ongeveer een meter hoog. Ze vormen een vak dat wordt afgedekt met een dun rond boomstammetje en daarboven zijn verticaal nieuwe gespleten latjes aangebracht in de kleur van lichtbruin tot heel donkerbruin. In een van die wanden zit een raam zonder glas met een houten oprolschermpje van bamboelatjes. Het zijn mozaïekwanden geworden, sober maar uniek. De mensen lijken vrolijk en ontvangen ons gastvrij. Op de smalle weg naar het dorp en in de kampong zelf is geen ander vervoermiddel te zien dan het onze.

Deze dag ben ik bijzonder blij met Yekki. Een mooier eiland dan dit heb ik zelden gezien en zonder haar was ik er misschien helemaal niet heen gegaan. Zelfs het dorp Yamtil dank ik aan haar.

Weliswaar is ze er zelf nog nooit geweest, maar er moet hier een vrouw wonen uit haar geboortedorp, die getrouwd is met een man uit deze streek.

Toen zij trouwde heeft de bruid een veel jongere ongehuwde zuster meegenomen naar het vreemde dorp. Ze moest haar man volgen maar kende niemand in haar nieuwe woonplaats. En wie weet zou de zuster in Yamtil ook wel een echtgenoot vinden? Om die ongetrouwde zuster is het Yekki te doen. Als kinderen waren ze in Ngefuit vriendinnen. Ze heeft het me gisteravond bij gitaargetokkel uitgebreid zitten vertellen. Ik probeerde haar uit te horen over bruiloftgewoonten op Groot Kei, over bruidsschatten, huwelijksadat en dergelijke, maar zoals gewoonlijk kreeg ik niet meer dan korte antwoorden op mijn vragen. Ze begon pas te vertellen toen ze naar Yamtil wilde om het meisje Sousi te vragen haar partner te worden.

'Een partner waarvan?'

'Van mijn zaak, mijn warong. Die heb ik Ibu toch laten zien?'

'O ja, de warong onder de waringinboom.'

'Als ik overdag werk op de Parawisata, kan zij de warong openen en de spullen verkopen. Ze krijgt tien procent van de opbrengst.'

'Kan zij wel in Tual leven van die tien procent?'

'In Yamtil verdient zij helemaal niets. Haar getrouwde zus kan maandelijks wat geld sturen. In Tual zijn toch meer mogelijkheden? Ze heeft in Yamtil niet eens een man gevonden.'

Tual is hier de grote stad en Sousi lijkt dat ook zo te zien, want ze voelt dadelijk veel voor het plan van Yekki. Ik hoor dat Yekki haar belooft dat ze nu meteen met ons mee kan reizen naar Banda Elat. Ze mag dan slapen in een kamer naast die van de Ibu en ze krijgt goed te eten. Morgen nemen we dan meteen de boot naar Tual.

'Hé!' roep ik, 'hoe zit het dan met het dansfeest en je broer bij de brug?'

'Dat feest kan wel wachten,' vindt ze. 'We gaan naar Tual, openen de warong, we geven een slametan om de klanten te lokken. Het wordt geweldig, dat staat vast!'

'Ik blijf hier,' beslis ik meteen. 'Ik kan best in mijn eentje naar Ngefuit.'

Deze koppige houding van mij past natuurlijk niet in het Indonesische levenspatroon. Hier malen ze niet om het afwerken van een vast plan en voelen meer voor het meedrijven met de loop van nieuwe gebeurtenissen. Wat er vandaag voor je voeten komt, bepaalt wat je morgen gaat doen. Ik merk dat ik mij deze ochtend maar heb wijsgemaakt dat ik het met Yekki zo heb getroffen. Ik zou graag willen rondreizen met een vriend of vriendin, maar Yekki blijft me tegen de haren in strijken, het *tjotjokt* gewoon niet tussen ons. Als dat wel zo was zou ik misschien enthousiast meedoen aan elke verandering in de reisplannen volgens het 'ik zie wel'-principe dat me op zichzelf wel ligt. Maar nu houd ik voet bij stuk. Yekki ook.

'Ibu kan niet alleen reizen in een vreemd land. En ik moet het dansfeest in Ngefuit toch organiseren? We geven een feestmaaltijd in Tual als u nog wat dollars over heeft, u zult het heel leuk vinden. U mag ook foto's maken. En als Sousi alles weet wat ze moet weten, gaan we op ons gemak naar Kei Besar met de boot. Wie weet volgende week al!'

'Ik wacht wel op je in het losmen,' schipper ik. 'Tenslotte kan ik vanuit Elat van alles ondernemen. Ik kan naar Eli aan de noordoostkust, waar ook veel mensen uit Banda wonen net als in Banda Elat. Zijn daar ook pottenbakkers? Het is de moeite waard erheen te gaan en te kijken of er overeenkomsten zijn. In 1621 zijn de Bandanezen uit Banda weggevlucht omdat onze Coen daar de bevolking probeerde uit te roeien omwille van de kruidnagelen. En ik kan een prauw huren en langs de kust naar Haar varen of naar de desa Mun. Misschien ga ik nog eens terug naar Pak Jejanan om onze plannen te bespreken. Genoeg te doen voor een week. Twee weken desnoods.' Ik leef op bij het idee dat ik weer in mijn eentje zal kunnen rondzwerven.

Mijn voorstel bevalt Yekki niet. Ze wil graag wat extra dollars voor het warongfeest. Ik overweeg haar af te kopen met tien Amerikaanse dollars, waarvoor je een royaal feest kunt geven. Ze zou nog genoeg overhouden voor een nieuw ticket om met de boot opnieuw van Tual naar Banda Elat te varen. Maar op dat moment wordt het heft me uit handen genomen.

Sousi, die bij ons was weggelopen, komt huilend terug. Uit haar half verstikte zinnen maak ik op dat haar zwager heeft gezegd dat er niets van in komt dat zij alleen naar Tual reist. Hij is verantwoordelijk voor haar. Er kan haar in Tual van alles overkomen.

Yekki, die toch al gauw driftig wordt, begint meteen tegen hem te schreeuwen: 'Ze gaat toch niet alleen! Ibu is erbij! Die zal wel voor haar zorgen. Die wil zich wel verantwoordelijk stellen!'

'Nee, nee!' roep ik machteloos. Niemand hoort mij. Er is nu een rasechte Keiese ruzie op gang gekomen. Yekki schreeuwt dat de zwager zijn schoonzusje het licht in de ogen niet gunt. Tual is de kans van haar leven. Ze zal er geld verdienen als water, ze zal er rijk worden. Ze krijgt twintig procent van de opbrengst!

De zwager komt zich persoonlijk bij mij verontschuldigen. Hij weet, zegt hij, dat ik een goed mens ben, en dat er met Sousi onder mijn hoede niets verkeerds zal gebeuren maar hij kan het niet toestaan. Sousi is bovendien nodig bij de komende bevalling van haar zuster, die kan ze niet zomaar in de steek laten. In Yamtil kan Sousi niet gemist worden.

De zuster breidt snikkend haar armen uit en Sousi omhelst haar, nog steeds huilend met lange uithalen. De zwager klopt troostend op mijn hand, het spijt hem, het spijt hem, een volgende keer misschien?

'We gaan!' zegt Yekki en loopt kwaad naar ons busje toe. Ik schud de handen van de zwager en zijn vrouw en van Sousi en haar familie. Ik verzeker iedereen dat het niet erg is, dat ik het begrijp, dat ik ze het beste wens. Zij bedanken mij weer en zeggen dat ze als bewijs van de prettige herinnering aan ons bezoek hun kind naar mij zullen noemen. Hoe is mijn naam? Is die naam Ayah? Dan moet het natuurlijk wel een jongetje worden, want die naam betekent vader in hun taal, nou, niets erg, dat was toch de bedoeling, eerst een paar jongens en dan, misschien, een meisje. '*Sampai ketemu lagi*! Tot ziens, tot ziens!'

Door het paradijs rijden we terug naar ons losmen. Langs baaien van een onvoorstelbaar azuurblauw, stranden met blinkend wit zand, ze lijken nog onbetreden door enig mens of dier.

Yekki blijft wrokkig zwijgen en als we Banda Elat naderen, zegt ze: 'Mijn tante moest vandaag op familiebezoek, ze heeft met eten niet op me gerekend.'

'Het geeft niet, Yekki,' zeg ik, 'we eten kip vanavond, je bent welkom.'

Met vochtige ogen glimlacht ze tegen me. Ik glimlach terug. Bijna zijn we vriendinnen geworden. Hoe dat in zijn werk is gegaan weet ik niet. Misschien behekst ze me een beetje.

Ngefuit Bawah

De dagen vliegen voorbij. Ik vraag niet meer naar de broer bij de brug. We maken tochtjes per boot naar kleine dorpen als Ranaring en Nam en Weer. We zwerven te voet langs de oevers van de kali Ayer Besar. Ik ben tevreden in Banda Elat.

Elke morgen lijken we even in trance te raken tijdens het ontbijt onder de ketjoeboeng. Daarna kan er van alles gebeuren. Er hoeft niets georganiseerd te worden. We lopen de straat op, we gaan zitten onder een boom of op een muurtje in de schaduw.

Mensen komen praten. Ze kennen ons nu en wij kunnen hun namen noemen. Een visser neemt ons soms mee in zijn boot of we bespreken de kosten voor een tochtje naar een kaap waarvan ik nog niet eerder hoorde maar die een rol speelt in een zojuist verteld verhaal.

Iedere dag worden we ergens anders uitgenodigd maar ook wij nodigen wel mensen uit. We drinken meestal koffie en eten groene en roze cakejes. Altijd is er wel iemand met een gitaar waarop als achtergrondmuziek bij de verhalen een beetje willekeurig wordt getokkeld. Iemand die echt gitaar kan spelen kom ik in Elat niet tegen. De gitaar gaat van hand tot hand. Om beurten slaan we wat akkoorden aan, dan geven we het instrument weer door.

Op een dag zitten we aan de haven op een kademuurtje. Het is nog vroeg en we kijken naar het laden en lossen van de schepen.

Yekki is in gesprek geraakt met een jongen van een jaar of twaalf, die hier kennelijk niet werkzaam is maar zich net bij de toeschouwers heeft gevoegd. Het is eigenlijk nog een kind. Yekki trekt hem naar mij toe.

'Dit is Sef,' zegt ze, 'hij heeft honger. Laten we even teruggaan naar het losmen en wat voor hem bestellen.'

Op dit betrekkelijk vroege uur zijn er nog geen eetstalletjes open in Elat, dus het losmen is de aangewezen plek als we iemand te eten willen geven.

Terwijl we terugslenteren in de richting van Adios, blijkt dat Sef een jonger broertje is van Yekki. Hij is de wandelende telefoon. Hij is net gearriveerd uit Ngefuit met het bericht dat alles daar klaar is voor onze ontvangst. Zijn oudere broer staat bij de brug op ons te wachten. Het is een kilometer of tien hiervandaan en Sef is vanaf de rivier naar Elat komen lopen.

We geven hem grote kommen koffie en een bord nasi goreng. Terwijl hij zit te eten, pakken we onze spullen en gaan afrekenen met Benoni, die meteen zijn eigen busje voorrijdt. Even later zijn we dan bij de kapotte brug. Aan de overkant van het riviertje, een ondiepe zijarm van de Wer Oer, staat een terreinwagentje met de zwaaiende broer van Yekki. Nu alleen nog het afscheid van Benoni, die voor mijn plezier nog eens voordoet hoe mijn vader destijds een te rumoerige eerste klas binnenkwam. 'Woelende baren!' roept Benoni schaterlachend en 'Jan van Schaffelaar springt van de toren in Barneveld!' 'Ik ben nog niets vergeten, het zit allemaal hier!' Hij slaat kletsend op zijn kalende hoofd.

Hoffelijk begeleidt hij mij over de stenen van het riviertje en brengt me naar de wachtende auto. We schudden handen. Eindelijk is het dan zover. Maar Benoni moet kennismaken met Yekki's broer. Er wordt nieuws uitgewisseld en Benoni vertelt uitgebreid over zijn schooljaren in Tual bij meester Zikken.

We gaan er maar bij zitten in de schaduw van een boom. In de stilstaande auto is het te heet en de zon blijft stijgen. Het loopt nu al tegen twaalven.

Ik kijk de smalle weg af, die zich de bergen in slingert en uit het zicht verdwijnt tussen groen in allerlei schakeringen. Wanneer vertrekken we nu eindelijk? Hoe ver is het rijden naar Ngefuit? Hoe laat komen we daar aan? Ik hoor een vogel uitbarsten in gezang. Een zachte warme wind strijkt langs mijn voorhoofd.

Opeens weet ik wat ik moet doen. Ik maak mijn polshorloge los van mijn arm en stop het diep weg, onder in mijn schoudertas. Hier moet je leven zonder tijd.

Het dansfeest

Als je per auto Ngefuit in komt, is het net of je een schilderij binnenrijdt waarop een onwezenlijk stil landschap is afgebeeld. Langs een smalle weg van wit fijngestampt kiezel staan witte huisjes met blauwgeschilderde deurposten en een dak van lichtbruin atap. Het dorp staat vol bomen, kenaribomen, palmbomen, sukunbomen. Lage muurtjes van lichtgekleurd steen, waar uit de spleten vetplanten te voorschijn schieten, bakenen de weg af.

Maar de verstilde sfeer ontstaat doordat er op het weggetje helemaal niets te zien is, er is niets dat beweegt, het is een stille lege weg, zonnig maar overschaduwd door dichtbebladerde bomen. Nergens een auto, een brommer of een fiets, zelfs geen grobak voortgetrokken door een karbouw.

De claxon van onze wagen scheurt het dorp open. Op de tot dan toe lege voorgalerijtjes verschijnen nu verschrikte mensen, die komen kijken wat er aan de hand is. Het is een dorp van heel vroeger, uit het voorzichtige begin van de wereld, toen de mensen nog bang opkeken bij elke onbekend geluid.

Als je, na het kleine rijtje huizen, de weg verder afloopt, verdwijnt de bebouwing al gauw uit het zicht en de weg loopt verder door dicht bos tot aan het strand.

Aan het laatste stukje weg wordt nog gewerkt. Niet zo hard als op gewone dagen, want de mannen zijn op zee of op het verderop gelegen veld en de vrouwen en jonge meisjes zijn allemaal bezig met de voorbereidingen voor het dansfeest. De afdeling wegenbouw bestaat vandaag alleen uit een vrouwelijke opzichter gekleed in een gewoon T-shirt en gebloemde rok maar wel met een officiële pet op en dan zijn er nog twee kinderen met een parang in de hand. Ze zijn van het stevige soort, misschien daardoor niet geschikt voor het dansfeest?

Grote witte keien worden op en naast elkaar gegooid tot ze een lang lint vormen. Daarna worden ze stuk voor stuk kapot geklopt met de parangs. Blote voeten stampen de scherpe stukken dicht in elkaar. Komt er nog een wals om dit alles te pletten tot het wordt zoals het kiezelpad dat bij de huisjes ligt? Nee, een wals is er niet, zelfs niet in Banda Elat. Misschien zelfs niet in Tual. Waarvoor zou die ook nodig zijn? Dagelijks lopen mensen op blote voeten over deze nieuwe weg naar de zee. In het natte seizoen slaan regen en wind het aangewaaide strandzand tot modder en zodra de zon weer schijnt worden de stukgeklopte witte keien door de natuur in elkaar gemetseld. Nog een paar jaar en je ziet geen verschil meer met de kiezelweg in het dorp.

Bij het huis van de grootmoeder van Yekki staat op de veranda een ontvangstcomité te wachten. De ouders van Yekki wonen elders in het dorp; zij kunnen nu even niet gestoord worden want ze zijn druk met de organisatie van het dansfeest. Straks komen alle dorpsbewoners in feestkleding en ook de muzikanten met hun instrumenten, trommel, fluit en gong, naar het huis van Yekki's ouders. Daardoor is het nu geen huis waar je ook nog gasten kunt ontvangen.

Maar het ontvangstcomité bij het huis van de grootmoeder mag er zijn, al is de leeftijd boven de zeventig of onder de tien. Daar is maar één uitzondering op: in de hoek van de veranda zitten een paar mannen van een jaar of dertig, veertig met fluiten, trommels en tamboerijnen. Zodra onze auto voor het huis stopt barst de muziek los en verandert het stille weggetje in een toneeltje dat nu meer aan Jeroen Bosch doet denken. Iedereen begint te dansen zonder feestkleding, op blote voeten, in werkbloesjes en shirts met een parang, een theeketel of luizenkam nog in de hand.

Dan steekt de grootmoeder een vinger op alsof ze om aandacht vraagt. De muziek zwijgt, de blote voeten staan stil, er wordt zelfs niet gefluisterd. De grootmoeder heet mij plechtig welkom en noodt mij meteen aan tafel. We eten rijst met sayur, vis en ei. We drinken er klappermelk bij. En toe hebben we een schotel gepelde kenarinoten, net amandelen met een schilletje. We zitten in de enige kamer van de kleine woning en kijken door de openstaande deuren uit over de veranda, waar de muzikanten op hun hurken zitten te eten, de kommen rijst in hun hand, de schalen op een matje op de grond. Het is nu weer rustig op de met wit koraal aangestampte kiezelweg. In de schaduw van de kenaribomen zijn schimmige figuren zichtbaar die zich haast geluidloos voortbewegen op blote voeten, op weg naar een open plek bij het strand. Het zijn bijna allemaal vrouwen. Ze dragen verschillend gekleurde sarongs, vaak met gouddraad doorweven. Daaroverheen een rode of oudroze lange kazak die tot ver over de knieën valt, een slendang of kanten sjerp over de schouder. Opvallend is het ontbreken van sieraden. Er zijn geen halskettingen, armbanden, ringen. Een enkele vrouw draagt kleine oorknopjes. Wel hebben ze allemaal een – meestal valse – kondee, een haarwrong tegen het achterhoofd gespeld.

De muzikanten voegen zich bij de anderen. De mannen zijn allemaal in het wit. Witte pantalon, wit shirt en blauwe of rode baseballpetjes op.

Als ik met de grootmoeder en Yekki aankom bij het open

veldje, is het orkestje daar al opgesteld. De mannen zitten of liggen in de schaduw van een paar pandanuspalmen, vlak aan de baai. Het strand is hier smal en ongerept, het zand is bijna wit. Het veldje is niet meer dan een kleine ronde arena, waar aan de zijkant alleen een rotan baleh-baleh staat, de enige plaats voor toeschouwers. Dat hindert niet, het publiek blijft beperkt tot een aantal kleine kinderen, Yekki en mijzelf. De grootmoeder heeft zich, nu gekleed in donkerrood met veel gouddraad, bij de dansers gevoegd.

Haastig worden uit het witte zand van de arena nog wat lege blikjes en weggegooide papiertjes verwijderd en een klein ingezakt hutje, waarschijnlijk door kinderen gebouwd, wordt snel met een bezem het bos in geveegd. Vanaf de baleh-baleh overzien de toeschouwers de nu nog lege arena met op de achtergrond de palmbomen, de zee en de muzikanten die op hun gemak naar hun instrumenten grijpen. De muziek barst weer los, nu met volle bezetting.

De in het rood geklede vrouwen staan in een kring, meest naast elkaar, soms achter elkaar. Ze bewegen sierlijk op het ritme van de muziek, ze vormen een flitsende rode veeg tegen het blauw van de zee.

Bij hun eerste dans dragen ze bosjes bebladerde takken in hun hand, die met hun lichamen mee bewegen en een fluisterend geluid maken – swoosh, swoosh. Soms, bij een harde tifa gongslag, draaien de vrouwen zich om en dansen in tegenovergestelde richting.

Een van die vrouwen begint met een jonge krachtige stem een lied, dat meteen wordt overgenomen door de anderen. Het is een lieflijke koorzang, maar de woorden kan ik niet verstaan. Ze lijken in trance te raken. Ik kan gewoon tussen de dansers door lopen, niemand kijkt me aan, niemand lacht als ik bijna in de orkestbak val die onder de bomen in de schaduw staat, op een plek iets dieper gelegen dan de dansarena. Ik kan gaan waar ik wil, tijdelijk ben ik onzichtbaar.

Af en toe is er een pauze waarin de dansers thee krijgen uit grote gedeukte, dampende theeketels, waarvan er steeds nieuwe door kleine meisjes worden aangedragen.

Een volgende dans is een soort toneelstukje met een verteller. Er wordt een afgekapte kenariboomtak van flinke afmetingen in het zand geplant. Daaromheen dansen de vrouwen. Het ritme is nu snel, energiek, zweept op. Alle vrouwen hebben een scherpe haak in de handen en daarmee ritsen ze om beurten een zijtak van de kenariboom. De noten worden geoogst. Maar een van de vrouwen verwondt zich daarbij. Het is maar spel, al is de mimiek zo levensecht dat je op zou willen springen om haar te komen helpen. Ze zakt ineen op de grond en de anderen dansen bezorgd om haar heen, verleggen haar hoofd, verleggen haar been. Dan worden er bladeren op de wond gelegd en het been wordt omwikkeld met onzichtbare windsels. De gewonde knapt meteen op, ze gaat zitten, staat overeind, wankelt even, maar begint dan langzaam weer te dansen.

Het wordt zo suggestief gedaan dat ik onwillekeurig even kijk of er geen bloedstraaltje op haar blote voet drupt. Een harde slag van de gong! De vrouwen staan stil, trekken de gewonde weer in de kring en de vrouw die als voorzanger optreedt, zegt luid en duidelijk in Bahasa Indonesia: 'Zo is ons leven!'

Heel jonge meisjes, een jaar of tien, dansen dan de dans met de waaiers. Ze vragen om gunstige wind voor de vissers op zee. Daarna komen de oudere vrouwen; ook de grootmoeder danst mee. Er wordt gezongen, maar ik kan het meeste niet volgen. Weer vind ik het jammer dat Yekki me zo weinig uitleg weet te geven over de dansen. Ze schenkt thee in, toont nauwelijks belangstelling en als ik haar om een vertaling vraag, zegt ze alleen: 'Het zijn heel oude dansen. We dansen voor de toeristen. Het kost dertigduizend roepia. Als u heel lief wilt zijn kunt u mijn grootmoeder iets geven voor de maaltijd en misschien krijg ik iets extra's omdat ik alles voor u heb georganiseerd.'

'De oleh oleh liggen nog in de auto!' roep ik verschrikt.

'Welnee!' zegt Yekki, 'dat is allang in orde. Sef heeft ze eruit gehaald en ze verdeeld. Snoep voor de kinderen, sigaretten voor de mannen, meel en suiker voor mijn familie. De houtsnijspreuk staat al op het kastje in ons huis. Maar grootmoeder...'

'... heeft nog niets gehad,' begrijp ik.

En grootmoeder is een leuk mens. Ze is vijfenzeventig, maar op de cadans van de muziek stampt ze als de beste met haar stevige blote voeten en zwaait met bosjes ritselende bladeren. Als ze langs me heen danst, lijkt het alsof ze me een knipoog geeft. Tienduizend roepia? Vijftienduizend?

Ontmoeting met Ut

Hij zit zo volmaakt stil naast zijn oudere broer, de jongen met de tifa gong, dat ik hem eerst nauwelijks opmerk. Tegen de bonte achtergrond van zee, palmen en feestelijk geklede mensen lijkt hij bijna kleurloos in een stukgewassen grauw hemdje, blote voeten diep in het zand gedrukt en sluik zwart haar dat in zijn ogen valt. Hij zit tussen de muzikanten maar bespeelt geen instrument. Misschien is hij daarvoor te jong? Hij is net iets kleiner, magerder, iets sjofeler, iets minder zelfverzekerd dan de andere kinderen.

Ik kijk opeens in zijn ogen, die me aanstaren boven de rand van een groengemarmerde emaillen theekom waarin de onderste helft van zijn gezicht volkomen verdwijnt. Ik loop naar hem toe en hurk bij hem neer.

'Het is mijn broer,' zegt de jongen met de tifa gong, kennelijk gewend het initiatief te nemen. 'Hij heet Ut. Hij gaat naar school. Hij spreekt Bahasa Indonesia.'

In een opwelling pluk ik deze Ut uit de rij muzikanten en neem hem mee naar de geïmproviseerde toeschouwersloge, de baleh-baleh aan de zijkant van de arena. 'Ik wil je wat vragen,' zeg ik als enige verklaring.

Een klein meisje komt dadelijk naar ons toe met een pot verse thee en ze schenkt twee kommen vol voor Ut en voor mij. 'Ik wil je wat vragen,' herhaal ik en we kijken elkaar weer aan over de randen van onze kommen heen. Maar wie heeft die zin eigenlijk uitgesproken? Was ik het werkelijk zelf die dat zei en stelde ik me daar dan al een speciale vraag bij voor? Ik kan hem toch niet in verlegenheid brengen door hem te vragen: 'Waarom heb jij, als enige op dit feest, een kapot hemd aan en waarom zit er opgedroogde modder aan je benen alsof je net uren op het veld hebt gewerkt? Heb je zelfs geen bamboefluit? Waarom zit je zo onbeweeglijk, half verscholen achter je broer?'

Een ogenblik heb ik gedacht dat dit misschien een achterlijk kind kan zijn, maar zijn ogen staan zo helder en tintelend van intelligentie in zijn goedgevormde hoofd dat ik dat idee verwerp.

Hij zal een jaar of zeven zijn, schat ik. Dan heeft hij al minstens een jaar Bahasa Indonesia geleerd op school. Hij zal mij zeker begrijpen als ik mij houd aan eenvoudige basisvragen.

'Hoe oud ben je, Ut?' vraag ik.

Hij is tien jaar, bijna elf, zegt hij. Daar kijk ik van op. Maar hij praat heel rustig, articuleert goed, zijn stem is zeker wel elf jaar oud.

'Woon je in Ngefuit?'

Nee, hij woont daarginds! Hij maakt een vaag armgebaar in de richting van de heuvels. Door dat gebaar zie ik nu voor het eerst zijn rechterhand, waaraan de drie meest rechtse vingers ontbreken. Zijn wijsvinger houdt hij tegen zijn duim gedrukt zodat de twee overgebleven vingers een o vormen. In mijn westerse wereld is dat het teken voor: heel bijzonder!! Maar in zijn wereld hoeft dat niet zo te zijn. Kan hij lepra hebben?

Ik aarzel maar kort, besluit dan het gewoon te vragen. Ik wijs op zijn hand: 'Hoe komt dat, Ut? Ben je ziek? Ben je naar een dokter geweest?'

Ut gooit zich schaterlachend achterover, waarbij zijn theekom door de lucht vliegt en we allebei flink bespetterd worden. Hij noemt de inheemse naam van de gevreesde ziekte, haast stikkend van het lachen.

'U denkt dat ik lepra heb? Maar dat is het niet. Het was de heilige steen!'

Een ander meisje komt aanlopen, pakt zijn theekom op, schenkt hem onbewogen vol en duwt hem de kom in handen. Ze glimlacht tegen ons.

Ut vouwt beide handen om zijn kom nadat hij even over mijn jeans heeft geveegd waar roodbruine druppels op liggen. Hij maakt een vertrouwelijke hoofdbeweging naar het weglopende meisje, begint te slurpen en zegt iets dat klinkt als 'punya harga'.

'Punya harga?' herhaal ik, want ik weet niet waarover hij het heeft. Hij knikt heftig.

'Bedoel je dat meisje?' vraag ik, 'heeft ze geld?' Maar nee, dat is het niet. Ze is geld waard, legt hij uit en hij wijst op de dansende vrouwen. Die zijn ook veel geld waard. Een man moet daarvoor betalen. Hij wijst op mij. Voor een vrouw als ik zal een man ook wel een grote bruidsschat moeten betalen?

Het gesprek is doodgelopen. We hebben het toch niet over bruidsschatten? We praten toch over de ontbrekende vingers aan zijn hand? Ik laat mij niet afleiden door een van de vele zijsprongetjes in de gedachtewereld van de mensen hier. Elke kleine gebeurtenis, het zien van een kevertje, een vlaag wind in de boomtakken, het kan elk ogenblik een wending geven aan een gesprek.

'Waar is de heilige steen?' vraag ik.

Die ligt in het bos natuurlijk. Als ik de steen wil zien dan zal hij mij erheen brengen.

'Afgesproken,' zeg ik, 'zullen we er na het dansen meteen heen gaan?'

Maar dat kan niet. Het wordt nu al gauw donker. Ik zou de

steen niet goed kunnen bekijken. Morgen is beter. Dan heeft hij trouwens alle tijd.

'Moet je morgen dan niet werken?' vraag ik. Nee, dan werkt toch niemand zeker. Dat is adat. De dag nadat er een gast in het dorp is gekomen gaat niemand naar het veld.

'En als ze nu toch eens naar het veld gaan?' vraag ik.

'Dan worden ze misschien ziek, of ze worden gebeten door een slang of er komt een storm die veel schade bezorgt.' Hij ziet dat ik wat ongelovig kijk en gaat vlot verder: 'Veel mannen gaan toch gewoon naar het veld. Alle oude mannen blijven thuis. Dat zijn ze zo gewend. Ze durven de geesten niet te trotseren. Maar de jonge mannen zijn *brani*, die durven wél. Die hebben ook sterkere zielenstof dan de oude mannen. Zij kunnen ertegen.'

'Is jouw zielenstof dan niet zo sterk?' vraag ik.

Hij schudt heftig van nee met zijn ronde hoofdje dat iets Peter Pan-achtigs heeft. Hij heeft een haast guitige mimiek die contrasteert met de onzekere manier waarop hij praat: korte zinnetjes, soms in Bahasa Indonesia, soms in het Keiees. Hij is af en toe moeilijk te volgen. Maar nu zegt hij, haast op de toon van een volwassene: 'Nee, want ik ben pas elf jaar.'

'Daarnet zei je dat je tien was!'

'Bijna elf,' houdt hij vol. 'Toch is dat niet genoeg. Je kunt nog niet tegen alle geesten op. Je moet uitkijken. Vrouwen moeten ook heel erg uitkijken, die hebben minder sterke zielenstof dan jongens van elf.'

De vrouwen trekken nog altijd zingend en dansend aan ons voorbij. Dat brengt me op een idee.

'Is je moeder ook bij de dansers, Ut? Kun je me haar aanwijzen?'

Hij knippert met zijn ogen, die lange zwarte wimpers hebben. 'Mijn moeder kan niet komen dansen. Ze is naar het eiland War. Of misschien zit ze in de heilige steen.'

Dus zijn moeder leeft niet meer? We kijken elkaar weer aan en hij opent zijn mond in een wijde vertrouwelijke lach. Ik zie nu dat hij drie voortanden mist. Hij is toch al te oud om nog aan het wisselen te zijn? Zijn gebit moet nu al volgroeid zijn.

Hij ziet dat ik naar zijn mond kijk en wijst er dadelijk zelf naar.

'De heilige steen heeft ze opgeëist.'

'Alle drie je voortanden?' vraag ik verbijsterd.

Ja, die wilde de steen nu eenmaal hebben. Je mag niet weigeren. Het is nu eenmaal zo. *Tidah apa apa*. Het doet er niet toe. Ut kan toch heel goed eten en drinken, ook zonder voortanden. De heilige steen had ze nodig.

'Die steen moeten we dan morgen maar eens gaan bekijken!' beslis ik.

'Om zeven uur morgenvroeg,' zegt hij en glipt weg. Hij verdwijnt achter de rokken van de dansende vrouwen en ik laat me afleiden door Yekki, die zegt: 'U moet niet praten met Ut. Dat is een kleine domme jongen. Hij haalt kattenkwaad uit. Naughty boy! En onbesuisd. Veel te wild.'

'Hoe is hij die vingers van zijn hand kwijtgeraakt en zijn drie voortanden?'

'Een ongeluk,' zegt Yekki. 'Hij is een week in het bos gebleven. In zijn eentje. Toen hij terugkwam in Warnangan waar hij woont bij familie van zijn overleden moeder, zat hij onder het bloed. Een wond aan zijn hand was ontstoken. Ze moesten drie vingers afhakken.'

'Afhakken?'

'Amputeren, if you like that better,' zegt Yekki met een misprijzend lachje waarmee ik word ingedeeld bij mensen die altijd hun kop in het zand willen steken. 'Het is beter niet met Ut te praten. Daar heeft u niets aan. Ik kan u alles vertellen wat u wilt weten.'

Dagje met Ut

Er is tijd genoeg om de tocht met Ut nog eens goed te overwegen. Die nacht na het dansfeest slaap ik in een hut die in de buurt staat van het huis van de grootmoeder. Dat ik daar slaap moet niet letterlijk worden opgevat. In ieder geval word ik er te ruste gelegd op een matje dat speciaal gereserveerd is voor gasten. Het is een mooi groengekleurd matje dat ligt uitgespreid op een schoongeboende houten vloer. Een sarong kan als deken dienen. Een kussen is er niet, maar ik heb mijn reistas tenslotte. Zeewind strijkt door kenaribomen met een geluid dat het geloof in geesten dichterbij haalt. Om mijn hut heen kraakt en kreunt het. Er wordt spookachtig gesuiseld, gesist en geschaterd, gesniffeld en gesmiespeld.

Het duurt even voordat het tot mijn vermoeide hersenen doordringt dat niet al die geluiden te wijten kunnen zijn aan zee, wind en bomen. Het is donker in de hut maar er is geen lamp nodig. Er valt niets te bekijken tussen de vier van bamboelatten gevlochten wanden en de planken vloer. Toch haal ik na een kwartiertje de zaklantaarn uit de tas onder mijn hoofd en knip het licht aan. Ik schijn ermee langs de wanden en dan zie ik pas dat die niet doorlopen tot aan het dak. Ze zijn niet hoger dan ongeveer een meter tachtig. Het dak rust op vier hoekpalen, een halve meter boven de wanden, zodat de zeewind frisse lucht naar binnen kan brengen. Maar vanavond kan dat niet, want over de vrijstaande wanden hangen dunne bruine armpjes. Ik zie een rij kinderhoofden, naast en boven elkaar. Glinsterende nieuwsgierige ogen staan boven breed lachende monden. Ze vullen de open ruimte volkomen. Het onderdrukte gesmiespel en gesmoes komt uit de rijen toeschouwers. Waarschijnlijk staan ze op bankjes of op elkaars schouders om bij mij naar binnen te kunnen kijken.

De zaklantaarn verrast hen. Alle hoofden verdwijnen. Er wordt waarschuwend gesist en tot stilte gemaand. Een vrouwenstem protesteert, kinderen worden weggehaald, ajo!, de gast moet slapen, ze mag niet lastig worden gevallen.

Het wordt stil om de hut. Er zijn alleen nog wat schurende geluiden. Ik hoor zachte voetstappen en krijg de indruk dat de kampongbevolking zich terugtrekt en zelf ook naar bed gaat. Maar ik heb het belangwekkende van zo'n overwachte avondvoorstelling onderschat. Zo vaak zal er wel geen gast slapen in het gemeenschapshutje van Ngefuit. Als ik na een minuut of tien mijn zaklantaarn nog weer even aanknip, schijnt mijn lampje wederom in tientallen glinsterende ogen, die even knipperen maar verder van geen wijken willen weten. Iedereen is doodstil. Ze bezorgen toch geen overlast? Ik knip het licht uit. Mijn ongetrainde ogen zien in het donker totaal niets maar misschien hebben die kinderen nachtogen en kunnen ze mij duidelijk zien liggen op het groene matje, de sarong over mijn schouders getrokken, mijn blote benen en voeten ver buiten het matje uitstekend. Ze maken geen enkel geluid, al kan ik soms horen dat de toeschouwers van plaats wisselen. Iemand trekt zich terug en een ander neemt zijn plaats in.

Ik probeer me nergens aan te storen maar het houdt me uit de slaap. Ik denk aan Ut. Is hij hierbij? Ik schijn nog even langs de rijen maar zie hem niet. Is hij teruggegaan naar zijn dorp Warnangan? Waar ligt dat eigenlijk? Is het ver? Kan hij morgen om zeven uur terug zijn in Ngefuit? Ik trek een oude kaart uit de jaren twintig uit het zijzakje van mijn reistas. Bij het licht van de zaklantaarn zoek ik de oostkust van Kei Besar af. Ik vind het dorpje, hier geschreven als Waornangan, meer een gehucht dan een dorp, een eindje het binnenland in, gelegen aan een voetpad dat van Ngefuit door de rimboe loopt naar het dorp Warka aan de westkust. Zou de heilige steen ergens langs dat voetpad te vinden zijn?

Boven mijn hoofd hoor ik een zachte zucht van diepe belangstelling. Maar ik knip de lantaarn uit en doe mijn ogen dicht. Ik ga geen schapen liggen tellen, maar som voor mezelf alle dingen op die ik hier nog wil gaan doen: de heilige steen, Warnangan, misschien zelfs Warka, de Japanse parelvissers, het gebergte van Kalerat, een grote wawuboom waar de boze geesten in huizen. Werd Kei ontdekt in 1606 door Willem Jansz. met zijn schip dat 't Duifke heette, de kampong Rejamru die een *tea-bel* heeft met de dorpen Taan en Weduar, het is een *bel suban*, een bloedbroederschap. Terwijl Ngefuit met die kampong Rejamru een *bel naan isu* heeft, een gewoon vriendschapsverbond met veel minder verplichtingen. Waarom, wie vraag ik dat? Waar ga ik heen? Als je slaapt verlaat je ziel je lichaam, zeggen de Keiezen. Je ontmoet dan de zielen van andere slapenden. Misschien kan ik die van Yekki ontwijken en iemand vinden die mij iets kan vertellen over de oude adat? Ongemerkt ga ik het schimmenrijk binnen en verlies alle herinnering.

Vaag licht schijnt door de spleten tussen het bamboe als ik wakker word, het is licht dat nog niet verwarmt, het moet nog heel vroeg zijn. Alle hoofden boven de wanden zijn verdwenen.

Als ik de deur van de hut uit kom, trap ik bijna op Ut, die weggedoken in een sarong tegen de wand van de hut ligt te slapen. Hij is meteen voor honderd procent wakker. Hij grijpt mijn hand, wil mij meetrekken naar de weg. We gaan nu naar de heilige steen. Ibu is dat toch niet vergeten?

'Nee, ik ben het niet vergeten, maar ik zou ook wel naar Warnangan willen vandaag. Kan dat? Komen we dan langs jouw heilige steen?' Hij knikt enthousiast. Eerst naar de heilige steen en dan naar Warnangan, dat kan!

'Misschien wil Yekki mee,' aarzel ik.

Ut kijkt me met verschrikte ogen aan. Dat meent Ibu toch niet? Als Yekki meegaat wordt het veel te laat. De zon zal dan al te hoog staan. Ook houdt de heilige steen niet van te veel mensen.

'Nu! Nu meteen!' dringt hij aan.

Maar ik hunker naar een kop koffie. Een dag zonder eten mag best, maar ik moet me wassen, mijn tanden poetsen, koffie drinken.

Ut kijkt me radeloos aan. Ik zie met verbijstering dat hij echt wanhopig wordt van mijn weigering nu direct, zonder enige voorbereiding, op pad te gaan.

'We kunnen toch best iets later vertrekken,' probeer ik nog. 'Iedereen slaapt nog, het is pas vijf uur. Nergens is een mens te zien.'

'Ibu,' zegt hij dringend, 'alle jonge mannen zijn al weg naar zee om te vissen of naar het veld met hun patjols. De oude mannen en vrouwen slapen vandaag lang ter ere van de gast.'

'En die gast kan er niet zomaar vandoor gaan,' zeg ik en mijn conditionering zegt er meteen achteraan: eerst tandenpoetsen, eerst wassen, eerst koffie.

Ik kijk naar Ut, die er nu weer uitziet als een heel jong kind, zeker niet ouder dan zes of zeven jaar, ik betwijfel of hij wel echt elf jaar is, hij is zo klein en tenger. Alleen zijn ogen zijn zo oud als van een volwassene.

'Kom nou mee, Ibu!' dringt hij aan.

En ik ga mee. Wel schrijf ik haastig een kort briefje en gooi dat op het groene matje. Nog een beetje onwillig laat ik me meetrekken, niet naar de kant van de weg maar naar het alang-alangveldje achter de hut. Later zal ik nog vaak aan dat ogenblik denken. Hoe heb ik dat kunnen doen? Zomaar verdwijnen, met achterlating van mijn reistas waarin al mijn geld en notities zitten zonder een bespreking vooraf met Yekki of haar grootmoeder, die tenslotte mijn gastvrouw is. En zonder tandenpoetsen en zonder koffie.

Er hangt nevel boven het veld en het lange alang-alanggras belemmert het zicht. Al na een paar minuten lopen zie ik niets meer van de hutten en de bamboehuizen van Ngefuit.

'Begint hier het voetpad naar Warnangan?'

'Nee,' zegt Ut, 'dit is het pad naar de rivier.'

'Naar de rivier? Ik wil liever naar Warnangan.'

'Eerst de heilige steen,' zegt Ut, nu weer met die volwassen stem die opeens losbreekt uit zijn jongenskeel.

'Ibu wil toch naar de heilige steen?'

'Jawel, maar ik dacht dat de steen aan het voetpad naar Warnangan lag?'

Hij schudt zijn hoofd en klopt even geruststellend op mijn hand, die hij stevig vasthoudt in de zijne. Alsof ik het kleine kind ben en niet hij.

Op het ogenblik dat de nevel uiteenscheurt en in flarden wegtrekt naar een steeds lichter wordende hemel, hoor ik opeens het geluid van water dat over stenen stroomt.

'Is dat de rivier?'

Ut geeft geen antwoord op zo'n vraag maar hij trekt me mee, een paadje af dat omlaag loopt naar iets dat je nauwelijks een rivier kunt noemen. Het is een smal stroompje, ondiep en bezaaid met grote stenen. Het is zo'n rivier die met het jaar zijn loop kan verleggen, afhankelijk van regenval, aardverschuivingen en steenslag.

Vlak aan het water gaan we zitten op een rotsblok en ik trek op aanwijzing van Ut mijn schoenen en sokken uit. Ik hang ze aan de veters rond mijn nek, maar Ut haalt ze daar zwijgend weg en drapeert ze met zorg om zijn eigen dunne kinderhals waar ze me ongewoon plomp en groot voorkomen. Maar ik laat het zo.

Ik begrijp dat we via de stenen in het riviertje – tegen de stroom in – naar het binnenland zullen trekken. Terwijl ik de eerste voorzichtige stappen zet met voeten die nog willen proberen of de stenen wel stabiel genoeg in het water liggen, raak ik in een soort trance.

Dat komt doordat ik, zelfs na koffie en een koude douche 's ochtends niet snel helemaal wakker word. Ik heb dat van mijn vader, die vroeger in Indië om vijf uur koffie zat te drinken in de voorgalerij want 'hij kwam zo moeilijk op toeren', zei hij dan. Je kon beter niets tegen hem zeggen tijdens dat proces, zelfs niet als wij tegen zes uur ook 'voor' kwamen zitten.

Koffie, douche, tandenpoetsen, het helpt in de vroege ochtend om terug te keren uit de droomwereld waarin ik altijd met welbehagen verblijf. Langzaam aan kan ik dan wennen aan een wereld waar ik soms wat wrevelig tegenover sta.

Zonder dat ochtendritueel blijf ik nog met één been in die nachtwereld staan, en nu ik door de omstandigheden van mijn verblijf in Ngefuit loom en onuitgeslapen een plotselinge tocht de rivier stroomopwaarts begin word ik automatisch teruggevoerd naar mijn kindertijd op Sumatra, toen ik met Rameh het binnenland in trok, springend van steen op steen in een ondiepe rivier. Er voltrekt zich een ongewoon proces in mij. De jaren lijken te verdwijnen. Mijn lichaam denkt niet meer aan de lange tijd dat het al dienst doet, het vergeet het voorzichtige bewegen dat daarmee gepaard gaat en opeens spring ik lichtvoetig van steen op steen en krijg ik weer even dat gevoel te kunnen vliegen. Ik maak geen grote sprongen. Mijn voet hoeft niet te zoeken. Die vindt met zekerheid dat ene plaatsje op het midden van de steen, die onbeweeglijk op zijn plaats blijft liggen. Er is maar een momentje nodig voor de afzet naar de volgende steen. Spierkracht komt er niet aan te pas. Het is een combinatie van een bewegingstruc en zelfvertrouwen. Ik heb Uts hand allang losgelaten en vlieg achter hem aan de rivier op.

Zoals vroeger, met Rameh, schieten de oevers aan me voorbij in een groene flits van pandanuspalmen en pinangbomen. Zonder dat me dat gezegd is let ik op de stenen die Ut uitkiest. Na een paar koppen koffie, een paar minuten aandachtig tandenpoetsen en veel koud water zou ik nu voor bijna honderd procent terug zijn geweest uit het nachtleven. Maar dan zou mij misschien niet gelukt zijn wat mij nu wel lukt: ik voel me jong en ben zeker van mezelf en dat heb ik duidelijk weten te maken aan mijn lichaam dat daar anders niet aan wil en altijd een ja-kom-nou-houding aanneemt.

Ik weet niet hoe lang onze tocht duurt. Misschien maar een paar minuten, mogelijk een halfuur of langer. Als Ut opeens naar de kant springt en langs een steile helling omhoogklimt, volg ik hem moeiteloos naar de oever. Maar als ik dan omhoog moet klauteren om uitstekende rotspunten heen, overvalt het besef van mijn leeftijd me en alles wordt zwaar en moeizaam. Hijgend kom ik aan bij de omgevallen boomstam waarop Ut zit te wachten.

'Ibu kan goed rivierlopen!' zegt hij vol bewondering.

'Ja, maar klimmen gaat niet meer zo goed. Moeten we nog ver?'

'Nee, de heilige steen is vlakbij. We staan al op heilige

grond. Awas Ibu! Niet spugen, zachtjes praten, niets meenemen zonder een offer. De *sumangè* van de geest die in de steen woont, kan ons hier al bereiken.'

'Heeft de heilige steen dan een sumangè?'

Verschrikt kijkt hij me aan en fluistert: 'Sssst! Alles heeft zielenstof, elke boom, elke plant, elke steen. En deze steen wordt bovendien bewoond door een geest. De sumangè is dus extra sterk!'

Terwijl ik mijn sokken en schoenen weer aantrek en daarmee, zo lijkt het tenminste, ook mijn leeftijd weer op mijn schouders neem, vertelt Ut me over boomgeesten, offers en de sumangè van een steen.

'Heeft elke steen dan een sumangè?'

'Natuurlijk. En elke boom, elke plant, elk dier.'

'Heeft elk dier een ziel?'

Ut knikt ernstig. Weet de Ibu niets van die dingen? Dan loopt ze wel veel risico. In het bos moet je geen fouten maken. Het kan je je tanden kosten of je vingers. Je moet weten hoe je een dier in de ogen moet kijken. Je mag niet op ze neerzien. Ze weten meer dan mensen. Ze zijn er om mensen te helpen. Uit een vereniging van dier en mens kunnen heel knappe mensen geboren worden.

'Maar hoe kunnen dieren en mensen zich nu verenigen?' vraag ik. Want mijn nieuwsgierigheid naar de voorstelling die Ut van dit soort zaken heeft is sterker dan mijn terughoudendheid om over voortplanting te praten met een kind van wie ik de werkelijke leeftijd niet goed kan schatten.

'Honden bijvoorbeeld,' zegt Ut. 'Ze likken de urine op van mensen en dan wordt er een kind geboren, een heel bijzonder kind natuurlijk.'

'Maar wel met vijf vingers aan elke hand en vijf tenen aan elke voet hoop ik?'

'Jawel, maar met een huid zonder kleur. De Hollanders

zijn zo ontstaan, dat weet iedereen op Kei.'

'De Hollanders zijn ontstaan uit de vereniging van mens en hond?'

Jazeker. Zijn grootvader heeft hem dat verteld. De hond heeft heel krachtige zielenstof, sterker dan die van een mens. De Hollanders zijn daardoor mensen geworden die willen helpen. Maar het zijn ook jagers, net als de wilde honden in het bos en je moet voor ze oppassen. Natuurlijk is de zielenstof van een steen nog sterker dan die van een hond. Je kunt hem breken, maar hij zal nooit verrotten of verwelken zoals een mens, een dier, een plant. Hij blijft zichzelf, is onverwoestbaar, dat komt door heel sterke zielenstof. Maar een hoge boom heeft natuurlijk meer zielenstof dan een struik. Een klapperboom, kijk daar eens naar! Hoe komt het dat hij zo lang is en toch zo rechtop kan blijven staan?

'Door de zielenstof,' vul ik aan.

'En doordat er een geest in woont,' zegt Ut. 'Als je de geest beledigt en hem uit de boom verjaagt, dan valt de boom vanzelf om, je hoeft hem niet te kappen.'

'Dat is dan makkelijk,' vind ik.

'Maar heel gevaarlijk!' zegt Ut snel. 'De geest zal zich wreken. Je kunt ziek worden en doodgaan als je een geest wegjaagt. Goed letten op dromen, Ibu. Als je droomt van een bepaalde boom, dan is die boom bewoond door een geest en heeft hij extra krachtige zielenstof. Ik let altijd goed op mijn dromen en daardoor heb ik de heilige steen kunnen herkennen. Ik droomde ervan. Voor mijn vingers was het toen te laat, die waren er al af.'

'Is het ver naar de steen?'

Ut springt overeind en steekt mij hoffelijk een onverwacht krachtige hand toe, zijn linkerhand met de vijf vingers.

'Het is maar een minuut lopen.'

In Indonesië is een minuut natuurlijk niet hetzelfde als een minuut elders. We lopen en lopen.

'Zijn we de weg kwijt? Zijn we verdwaald?' vraag ik ten slotte gekweld.

Hij duwt een grote struik uit elkaar en daar ligt een grote roodbruine steen, midden op het voetpad dat we nu al een uur lijken te hebben gevolgd.

'Ik was er bijna over gestruikeld,' zeg ik. 'Als je die takken niet had weggehaald, had ik hem niet gezien.'

'Ik ben er die eerste keer ook over gestruikeld,' zegt Ut. 'De steen was razend. De tanden vlogen uit mijn mond en ik had een grote wond aan mijn hand. Die ging ontsteken, toen moesten mijn vingers eraf. Zo is het gekomen. Daarna droomde ik van de steen en toen pas begreep ik dat het een heilige steen was, bewoond door een geest, die van mijn moeder denk ik.'

Hij duwt nog wat lage takken opzij en grijpt een leeg mandje dat ik nog niet had zien staan.

'Alles opgegeten door de geest,' zegt hij tevreden en hij haalt uit zijn zakken van alles te voorschijn. Terwijl ik er met een knorrende maag werkeloos bij sta, legt hij zorgzaam allerlei zaken in het offermandje: hardgekookte eieren, een pisangblad vol zachte witte rijst en zelfs een flesje sterke koffie en wat sirih. Het gevulde mandje schuift hij weer tussen de struiken.

'Wat geeft u in uw land aan de geest van uw moeder?'

Doordat mijn gedachten zijn afgedwaald naar een stevig ontbijt, weet ik niet meteen wat ik hem moet antwoorden, maar dan zeg ik: 'Ik geef haar bloemen, die leg ik op het graf. Zo gaat het in mijn land. We hebben daar geen heilige stenen. Mijn moeder vond bloemen altijd belangrijker dan eten.'

'Net als u, Ibu,' zegt hij op haast tedere toon. Hij plukt een klein paars bloemetje dat tussen de struiken groeit en biedt het mij aan.

'U geeft ook niet om eieren met rijst en koffie.'

Ik knik en zucht onhoorbaar. Ik wil doorlopen maar hij houdt mij tegen.

'Als u die bloem meeneemt moet u wel iets offeren,' zegt hij.

'Maar wat heb ik nu te offeren? Ik heb niets meegenomen.'

'Zit het zakmes dat u gister gebruikte nog in uw broekzak?' vraagt hij hoopvol.

Ik tast in mijn zak en haal het mes eruit. Het is een geliefd Zwitsers mes dat ik veel gebruik. Ut kijkt ernaar met begerige ogen.

Ik graaf een kuiltje naast de heilige steen en begraaf het mes erin. Ik offer het aan de moeder van Ut, die nu in de heilige steen woont en die zeker wel zo vriendelijk zal zijn haar zoon later dat mes cadeau te doen. De bloem steek ik in mijn knoopsgat.

Ut lacht uitgelaten. Ook hij twijfelt niet aan de vrijgevigheid van zijn moeder.

Haastig schopt hij nog wat extra zand en droge takjes over de plaats waar het mes ligt en stampt de aarde goed aan zodat geen toevallige voorbijganger het zal kunnen vinden.

'Laten we doorgaan naar Warnangan, Ibu! Het is maar een minuut lopen.'

Laat in de middag komen we aan bij een kleine groep huizen. Gelukkig woont daar een rijke man die een verroeste fiets bezit met houten banden, net zo een als wij in de oorlogsjaren gebruikten. Hij neemt mij achterop en brengt mij langs een kortere weg terug naar Ngefuit. We rijden over een flauw zichtbaar spoor dwars door de struiken die mij onbarmhartig striemen op mijn blote armen en benen. We rijden dwars door een onoverzichtelijk alang-alangveld waarvan het hoge scherpe gras een diepe snee maakt in mijn wang. We stappen alleen af bij een veldje waar iemand jonge ananassen heeft geplant. Hij heeft zijn tuin midden in de wildernis beschermd door overal scherpe pijlpunten in de grond te steken. De pijlpunten zijn erg giftig, zegt de eigenaar van de fiets en hij loopt een eindje om. Even verder begint hij weer te fietsen en ik moet hollen en in volle vaart achterop springen. Hij kijkt geen moment om, maar praat aan een stuk door over de gewassen in zijn eigen tuin, over de adat van het dorp, over al die dingen die ik altijd zo graag wil weten. Maar ik kan me alleen de vergiftigde pijlpunten herinneren. De rest van zijn woorden waait over me heen. Ik denk alleen aan veel koel water, om me te wassen, om te drinken, en ik denk aan een zacht bed in het losmen van Elat, waar ik nu zeker wel een week ga liggen uitrusten want in mijn vermoeide lichaam voelt het aan alsof de spieren voor altijd verdere dienst zullen weigeren.

Ngefuit lijkt uitgestorven als we er aankomen. In het logeerhutje ligt mijn briefje nog onaangeroerd op het groene matje. Niemand is er naar binnen gegaan, ze wilden me laten slapen.

'Kom, we gaan ons wassen,' zegt Yekki als ze te voorschijn komt uit het huis van grootmoeder. 'En daarna krijgt u koffie. Mijn broer rijdt ons vanavond terug naar Elat. Heeft u wat geld voor benzine? Twintigduizend roepia is wel genoeg. Maar dertigduizend is beter.'

Vertrek naar Tanimbar

Het vertrek naar het eiland Tanimbar, dat heel wat zuidelijker is gelegen dan de Kei-eilanden, betekent een afscheid van Tual en van Arif, Nyong en Yekki.

Het liefst wil ik een afscheidsfeest geven, maar ik aarzel lange tijd over de juiste lokatie. Arif stelt de oude pasanggrahan voor, maar daar heb ik al de slamatan gegeven voor mijn overleden vader. Als ik er een tweede feest zou geven, zou dat vader-feest er, tenminste naar mijn gevoel, door kunnen worden uitgewist.

Het afscheidsfeest mag ook wel in ons losmen plaatsvinden, zeggen de eigenaars, maar als ik daartoe besluit dan zit ik vast aan het losmen-menu, dat niet kwaad is maar dat wel voornamelijk bestaat uit visschotels want ze hebben hun eigen visvijvers bij het hotelletje.

Voor het laatst wil ik nog eens genieten van alle plaatselijke gerechten die ik heb ontdekt in de kleine eetstalletjes van Tual.

Yekki zegt dat het feest moet worden gegeven in de Parawisata. Ze kan haar baas wel overhalen een van zijn ontvangstruimten tot mijn beschikking te stellen. Ze heeft veel vrienden die voor praktisch niets een prima maaltijd kunnen leveren. Ik hoor haar berekening al. Vijftigduizend roepia is wel voldoende maar honderdduizend is beter. 'Nee, dank je, Yekki,' zeg ik, 'we moeten iets vinden met een uitzicht. Kon het maar aan het strand maar dat wordt een onhandig gesjouw met de etenswaren.'

'U wilt de zee kunnen zien,' zegt Nyong. 'Als ik mijn loods opruim en de vloer schoonspuit, kan ik er een rij matten neerleggen. De deuren kunnen wagenwijd open. We zitten dan naast elkaar op de matten en kijken uit over de havenkade en Straat Rosenberg. Er zijn daar 's avonds niet veel mensen, maar de kade en de waterkant zijn goed verlicht. Op de voorgrond staat mijn nieuwe boot, ik heb de naam Aireymouse er al op geschilderd.'

Ik ben meteen voor zijn idee gewonnen. Het klaarmaken van de Aireymouse-loods laat ik over aan Nyong, Arif geef ik een kleine hoeveelheid geld waarmee hij wonderen doet. Het is geen handel maar een feest van vrienden. Yekki nodig ik pas op het laatste moment uit, als alles in orde is gebracht en niet meer bedorven kan worden. Ik nodig ook Bapak Bakar uit en de islamitische priester die nu cursussen geeft in de pasanggrahan. Er komen nog wat familieleden mee en het wordt een heel lange rij matten. Bapak Bakar laat zeggen dat hij te oud is om zo vaak te feesten maar hij zendt een kom met kiezels van het strand van Ohoideertawun en die kom staat tijdens het eetfeest als pièce de milieu op de mattentafel. Er is rijst en kip en een groot aantal schotels met sayur, frikadelletjes, gebakken lever, gurami en kroepoek. Een echt Nederlands menu, vinden mijn vrienden en eigenlijk is dat ook zo. Er is overdaad en dat zie je zelden bij een Indonesische maaltijd.

Behalve een volle maag nemen we allemaal een paar kiezels van het strand van Ohoideertawun mee naar huis, dat brengt geluk.

De volgende dag word ik naar de boot gebracht.

'Gaan jullie nu maar terug,' zeg ik tegen Nyong en Arif en Yekki, zodra we op de kade zijn aangekomen. Afscheid nemen is treurig, het is beter je snel om te draaien, nieuwe plannen te maken en aan morgen te denken. Ze knikken en begrijpen het best.

Net zo onopvallend als ik alle drie een envelopje met inhoud heb toegestopt, stoppen zij kleine pakjes en dichtgevouwen zakjes in mijn bagage. Later vind ik die stuk voor stuk: wat kenarinoten, versgebakken koekjes, een klein notitieblokje met op de eerste bladzij, wat slordig, een pasfoto geplakt. Met enige moeite herken ik er het nog jonge gezicht van de oude Nyong in.

Ik vind ook een lapje heel oude stof, een reepje bruin en beige en okergeel met wat rood als van bloedvlekken. Het is afgescheurd van een oude kaïn, zuinig bewaard in een bewerkt houten kistje dat in de huizen van Kei op een familiealtaar staat. Het beschermt tegen reuma, een klein reepje is al voldoende. Hou het in je handen en je voelt je meteen al iets minder rampzalig, zelfs als je geen reuma hebt.

Het beste is me nu helemaal in te stellen op Tanimbar. In de openbare kajuit ga ik op een bankje zitten en buig me diep over mijn notities en de meegebrachte boeken.

Andere passagiers komen aan boord, we vertrekken over een halfuur, ik probeer te lezen en me niet te laten afleiden. Op een willekeurig opgeslagen bladzij lees ik: 'Wees nooit een *kembu*!' Een kembu, herinner ik mij, is een rifplant die meedeint met het getij. Een goede raad.

De eilanden van Tanimbar zijn bergachtig en dicht bebost. De binnenlanden zijn nog nauwelijks opengelegd en de dorpjes op de smalle streep grond vlak aan zee zijn vaak niet eens door een voetpad met elkaar verbonden. Als er al contact is gaat dat overzee. Koppensnellen behoort hier tot een nog niet zo heel ver verleden en oorlogen tussen de dorpen onderling naar aanleiding van twisten over grondbezit zijn nog aan de orde van de dag.

De Tanimbarees is een ander mens dan de Keiees. Hij

heeft zijn eigen adat, taal en karakteristieken.

Is het niet een grote fout om nu al weg te gaan uit Tual? Van Kei heb ik toch nog nauwelijks iets gezien? Ik ben niet genoeg te weten gekomen over de inwoners. Zelfs Yekki, Nyong en Arif heb ik nauwelijks leren kennen. Ik ben er niet aan toe gekomen te luisteren naar het levensverhaal van Nyong, dat hij toch zo graag aan me kwijt wilde. Ik zou een huisje hebben kunnen huren in Ohoideertawun of misschien in de stille desa Namur of in het drukke Tual, ergens aan de haven. Ook had ik op Groot Kei, in de buurt van Bombai een onderkomen kunnen zoeken. Reizen is niet in de eerste plaats steeds maar verder trekken. Het is voornamelijk ontmoeten, je ergens in verdiepen. Misschien kun je pas goed reizen als je je niet langer opgejaagd voelt, maar ontspannen ergens kunt gaan zitten om te kijken en luisteren. Haast is een slechte raadsman als je de wereld wilt ontdekken.

'U moet nu eerst maar koffie drinken,' zegt een stem, dicht aan mijn oor en een benige hand schenkt hete bruine vloeistof in de dop van een thermosfles. Ik kijk op. Alles lijkt een beetje wazig door de hitte.

Het duurt even voordat ik mij realiseer dat het Nyong is, die mij de koffie aanreikt zoals hij de afgelopen weken al zo vaak heeft gedaan.

'Nyong!' roep ik in paniek, 'pas toch op! De boot vertrekt!'

'Hij is al vertrokken,' zegt Nyong en over zijn schouder heen zie ik hoe de kade van Tual langzaam wegschuift. Twee stille figuren staan aan het eind van de pier, Arif en Yekki, ze wuiven niet, ze glimlachen niet, ze staan ernstig en zonder te bewegen vlak naast elkaar en maken niet eens ruzie. Ze kijken mij na.

Ik wil opstaan, toch nog even wuiven als bewijs dat ik hen

heb gezien en dat ik blij ben dat ze zo lang zijn gebleven, maar Nyong zegt dringend: 'Komt u maar mee! Ik heb een plek gevonden in de schaduw. Het waait daar een beetje, het is er koel. Ik heb uw tas er al heen gebracht.'

'Maar je hebt niets gezegd! Ga jij ook naar Tanimbar?'

'Ik ga mijn neef bezoeken,' zegt Nyong, 'hij woont op Larat, een van de noordelijke eilanden van de Tanimbargroep. Tot Larat vaar ik met u mee. En misschien wil mevrouw wel met mij mee naar mijn neef? Hij heeft lang gewerkt in Surabaya en spreekt goed Engels.'

Ik drink mijn koffie op en geef de thermosflesdop aan Nyong zodat hij zichzelf ook kan inschenken. Plotseling voel ik mij helemaal opgekikkerd. Waarom zou ik niet leven als een kembu, een rifplant die meedeint met het getij en gaat waarheen het lot hem drijft? Ik ben opgelucht dat ik voor even nog niet alles in mijn eentje hoef te bedisselen. Maar een neef op een eiland waarvan ik tot nu toe zelfs de naam nog niet kende?

'Ik wilde in Saumlaki, aan de zuidkust van Tanimbar, naar een hotel gaan,' zeg ik. 'Ik heb helemaal geen oleh oleh bij me.'

Nyong begint te lachen, slaat met zijn hand op een bundeltje dat over zijn schouder hangt: 'Hierin heb ik genoeg oleh oleh voor twee. Madam not worry. Always worry too much!'

Hij schroeft de dop weer op de thermosfles en als hij zich omdraait volg ik hem naar een hoekje op het zijdek. Daar staat wat wind maar niet te veel. Mijn reistas staat er, bewaakt door een klein jongetje, kennelijk als waakhond uitgezocht en omgekocht door Nyong. Zijn zakken puilen tenminste uit van roze snoepgoed en zijn wangen zitten vol chocola. 'Ajo!' zegt Nyong en het jongetje verdwijnt, verrukt glimlachend, in de menigte.

Dit lege hoekje op het dek, met alleen mijn reistas en Nyongs sandalen ernaast, lijkt me op dit ogenblik het beste plaatsje op aarde. Het is het plekje tussen nog nauwelijks vertrokken zijn en voorlopig nog niet zijn aangekomen, een plek zonder verplichtingen en met allerlei mogelijkheden die ik nog niet direct hoef te overwegen.

Met een gevoel van welbehagen ga ik achteroverliggen op het geurige hout van het zijdek, mijn reistas als kussen onder mijn hoofd. Er valt nog net een warm streepje zon over mijn ogen en de lauwe wind voelt aan als de koestering van een menselijke hand. Ik slaap een beetje, ik soes. Ik blijf het rumoer van stemmen horen van de mensen om mij heen, kindergelach en de schreeuw van zeevogels, het geklots van water, het werkt euforisch.

Ik probeer een begin van een nieuw boek te bedenken en schrik opeens volledig wakker doordat de stem van Nyong nu goed tot me doordringt. Hij praat misschien al een hele tijd tegen me. Ik besluit meteen dat ik toch niet mee kan gaan naar die neef van Nyong en ga recht overeind zitten om hem dat zo tactvol mogelijk te vertellen. Hij neemt het heel wat beter op dan ik had gedacht. Wie weet hield hij er vanaf het begin al rekening mee? Binnen enkele minuten besluit hij de neef in Larat pas op de terugreis te bezoeken en nu eerst met mij mee te gaan naar Saumlaki.

Er is hem veel aan gelegen in mijn nabijheid te blijven, zegt hij rustig, hij verwacht veel van mij.

Doordat ik hier westerser reageer dan wanneer ik in het Westen ben, neem ik eerst aan dat hij geld verwacht en ik probeer hem geduldig uiteen te zetten dat mijn relatie met Yekki mij te veel geld heeft gekost en dat ik het prettig vind te reizen zonder begeleiding. Maar langzaam aan kom ik tot de overtuiging dat hij iets anders van mij wil dan geld. Hij verwacht van mij dat ik naar hem luister, dat ik het verhaal zal aanhoren over zijn Nederlandse vrouw en hij denkt dat ik hem raad zal kunnen geven omdat ikzelf een westerse vrouw ben. Ik geloof dat hij wil dat ik begrijp dat hij een gehavend mens is en dat ik de enig juiste balsem zal aandragen voor zijn wonden. En niet alleen verzachtende balsem. Hij verwacht van mij ook een oplossing voor zijn probleem. Ik moet, wanneer ik eenmaal terug zal zijn in Nederland, voor hem een verloren geliefde opsporen, ik moet haar naar hem terugsturen, ik moet zorgen dat het in zijn leven uiteindelijk toch nog goed komt. Terwijl ik zwijgend luister, begint in mijn hoofd een druk gereken. Gaat het hem nu echt om een vrouw die nu, in het begin van de jaren negentig, ongeveer vijfenzeventig moet zijn? Leeft ze nog wel? In ieder geval is ze nu een oude vrouw en woont misschien in een bejaardentehuis.

'Je kunt beter naar je neef op Larat gaan,' zeg ik moedeloos. Maar Nyong geeft niet op. Trots zegt hij dat hij best voor zichzelf kan zorgen, dat hij zijn eigen eten zal kopen, zijn eigen onderdak zal weten te vinden, desnoods ook dat van mij.

Hij is niet arm, hij heeft geen familie die van hem afhankelijk is, hij is een mens die gewend is alleen te leven. Jaren heeft hij gewacht op iemand aan wie hij zijn verhaal kan vertellen. Ik moet precies horen hoe het allemaal is gegaan. Het is een lang verhaal. Hij zal het vertellen terwijl we naar Saumlaki varen, terwijl we door Saumlaki lopen, als we de binnenlanden van Tanimbar in trekken. Elke dag een beetje. Hij zal mij niet vermoeien, ik hoef alleen maar te luisteren.

'Het is niet goed om in het verleden te leven, Nyong,' zeg ik. Maar hij antwoordt: 'Iets anders is er niet. Het verleden en het nu zijn verbonden. Wat nog komt kan alleen gebeuren door te vertellen en door aangehoord te worden.'

Ik leun achterover tegen de wit geverfde wand van een

buitenhut en kijk over de reling naar een indigoblauwe zee, waar een langzaam wiekende fregatvogel laag overvliegt. Op dat beeld probeer ik me te concentreren. Even wil ik het gezicht van Nyong vergeten, want hij ziet er nu uit als een oude man en dat maakt dat ik me een oude vrouw voel. Ik zit niet al te comfortabel op het heet wordende dek. Gaat die fregatvogel nu toch duiken in zee? Is hij uit de koers geraakt op zijn weg naar het vogeleiland Pulau Manuk? Nee, hij zal nooit duiken, dat doen deze vogels niet, dan verdrinken ze. Keerkringvogels en sterns, die je ook wel in deze buurt ziet, kunnen wel duiken. Deze vogel wacht gewoon op andere vogels die hij achterna kan zitten tot ze hun moeizaam verworven voedsel haastig uitbraken. Dat voedsel wordt dan door de piraat in de lucht opgevangen. Ik moet naar hem blijven kijken al prevelt Nyong zijn litanie aan mijn afgewende oor. Als ik naar de fregatvogel blijf kijken, zal ik het zien gebeuren: de jacht op andere vogels. Of wie weet pikt hij een vliegende vis uit de lucht zodra die uit het water springt. Ik moet opletten. Zien wat er te zien valt. Op dit ogenblik ben ik te moe om geconcentreerd te kunnen luisteren. Zal ik op de terugreis langs Pulau Manuk gaan? Mijn ogen vallen dicht. Misschien kan ik nog even slapen?

'Hier, drink dit maar op,' zegt Nyong en geeft mij een glaasje dat op een laag mosterdpotje lijkt. Er zit een lichtgekleurde, wat olieachtige vloeistof in.

'Wat is het, Nyong?'

'Goede tuak,' zegt Nyong, 'van mijn eigen erf. Ik heb een erf vol klapperbomen. Dit is tuak van klapperbomen, niet van een arenpalm. Tuak van een arenpalm is voor oude mensen. Als je een klapper wilt aftappen, zoek je een boom waar sap in zit. Kijk naar de jonge klappers, vooral naar de stelen waarmee de vruchten aan de hoofdsteel van de bloemtros zitten. Als de toppen van de stengels droog zijn, zit er niet genoeg sap meer in de boom. De pas uitgekomen bloemtros, nog in zijn omhulsel, snij je eraf. Dan neem je een *loloin*, een hanger, een bamboebuis waarvan het schot aan de onderkant heel is gelaten en dat aan de bovenkant wordt doorgestoken. Met een touwtje hang je het aan de bloemtros en je snijdt er een tuitje aan. Zo doe ik dat bij mijn kokospalmen. Bij de arenpalmen gaat het anders. Want die staan niet op mijn erf. Arenpalmen groeien hier in het wild. Ze hebben geen vaste eigenaar, ze zijn van niemand en iedereen. Ik zoek er een uit in het bos en zet er een *wase*, een verbodsteken, in. De boom is dan bezet, niemand anders mag er nog aankomen. Maar rond Tual vind je er niet veel meer. Er is al jarenlang gekapt en Tual is een kaal eiland geworden. Ik drink tuak van mijn eigen kokospalmen.'

Voorzichtig proef ik van de drank in mijn glaasje. De vloeistof lijkt de huid van mijn lippen te schroeien. Ik neem een paar druppels op mijn tong en laat ze door mijn droge keel glijden. Even krimp ik in elkaar, maar dan neem ik een echte slok.

De tuak is als een riem onder het hart. Het maakt het harde dek wat comfortabeler. Het geeft het zonlicht een gouden gloed. De fregatvogel lijkt in een lichtende flits omlaag te duiken als een bruinvis omhoogspringt. Ze ontmoeten elkaar in een moment dat even vervuld lijkt van een zinvolle harmonie, eten en gegeten worden. Ik krijg het gevoel dat ik nu de hele schepping doorzie en de zin van het zinloze begrijp.

Nyong heeft zijn glas in een enkele teug leeggedronken en schenkt voor ons allebei weer in.

'Goed Nyong,' zeg ik en ik glimlach naar zijn gezicht dat nu weer heel ontspannen en jong lijkt, hij zal toch niet ouder zijn dan een jaar of vijftig?

'Vertel me je verhaal. Maar vertel het langzaam en sla niets over.'

Van dingen die voorbij zijn

In het dunne laagje roet dat op het scheepsdek ligt tekent Nyong met zijn wijsvinger een grote driehoek. Bij elke punt van de driehoek tekent hij een poppetje: drie cirkeltjes, elk met vier uitsteekseltjes voor armpjes en benen. Hij wijst en benoemt ze stuk voor stuk: 'Dit is Helena, dit is Sabaroe, dit is Nyong.'

'Een driemanschap,' zeg ik, 'wie is Sabaroe?'

'Sabaroe was als klein meisje al uitgekozen door mijn vader als mijn toekomstige bruid. Ze was voor mij bestemd. Ze was vier jaar toen ik werd geboren, en zelfs toen ik nog in de buik van mijn moeder zat erkende ze in mij haar toekomstige echtgenoot. Ik heb haar altijd als mijn vrouw beschouwd maar toen Helena op Kei kwam en ik verliefd op haar werd wilde ik niet meer trouwen met Sabaroe. Dat was niet zo'n groot probleem. Ik kon toch nog lang niet trouwen, want ik was nog jong en had nog geen tiende van de bruidsschat gespaard. Een tijdlang waren we veel bij elkaar, steeds met z'n drieën want het was toen nog ongewoon voor een jongeman een jonge vrouw te ontmoeten die niet tot de familie behoorde. Het kon wel maar mijn aanstaande bruid moest er altijd bij zijn. We deden alles dus samen.'

'Een driemanschap,' herhaal ik.

'Zo kun je het noemen, maar het was een driemanschap dat werd verpest door de komst van een vierde.'

'Door Yekki,' zeg ik bijna automatisch.

'Nee, nee!' zegt Nyong ongeduldig. 'U moet goed luisteren, Ibu! Het is geen verhaal van nu. Het is een verhaal van dingen die voorbij zijn. Er kwam een vierde bij die de harmonie van ons driemanschap bedierf. Voordat die vierde kwam was alles goed en waren we gelukkig.'

Hij tekent nu een grotere driehoek dwars over de eerste heen en in het midden tekent hij een poppetje, tweemaal zo groot als de andere poppetjes. Zijn vingers vegen de kleinere poppetjes voor minstens de helft weg.

'Een verzieker,' zeg ik.

'Wat is dat, een verzieker?'

'Iemand die een relatie verziekt, of zelfs kapotmaakt. Meestal is het een derde man of vrouw die de relatie van twee mensen verstoort. Maar als drie mensen gelukkig zijn, dan is de vierde persoon een verzieker.'

'Hoe heette die vierde persoon, Nyong?' vraag ik als hij blijft zwijgen. Maar hij keert zich driftig af.

'Dat weet u toch! Dat heeft Arif u al eens verteld!' Hij kijkt mij meer verwijtend dan kwaad aan. 'Vergeten! Ibu is het vergeten!'

'Je bedoelt je zoon? Frederik met de drie anak anak-mamma's die blond zijn en de twee anak anak-pappa's die donker haar hebben? Nee, dat ben ik niet vergeten, maar ik wist niet dat hij de vierde was!'

'Wie anders?' zegt Nyong gelaten en dikt het vierde poppetje op het dek nog eens extra aan met een kwaaie vinger en veegt daarbij nu de andere poppetjes vrijwel geheel uit.

'Luister eens, Nyong!' zeg ik en grijp zijn hand. 'Zo gaat het niet! Het is geen verhaal als je het zo vertelt. Het is meer een raadsel. Daar heb ik geen tijd voor. Ik heb er geen zin in. Een verhaal begin je te vertellen bij het begin. Dan ga je langzaam verder. Je slaat niets over van alles wat er gebeurt. Je probeert te laten zien waarom het wel zo moest gaan. Dan kom je bij het eind en je legt precies uit waardoor het eindigde. Een verhaal heeft een begin, een middenmoot en een einde. Je moet niet beginnen bij het middenstuk, dan raakt de toehoorder in de war. In het begin was Frederik er toch niet?'

'Nee, die was er niet,' zegt Nyong peinzend. 'Maar een verhaal is moeilijk, mevrouw. Het is sakit hati, het doet pijn.'

'Dat weet ik toch,' zeg ik, 'daarom worden verhalen verteld. Om pijn kwijt te raken.'

Nyong zit in lotushouding tegenover me, op het dek. Zijn oogleden met stoffige wimpers liggen tegen zijn gebruinde wangen. Misschien houdt hij ook zijn oren gesloten en hoort het krijsen van de vogels niet en ook niet het gepraat van de mensen om ons heen. Hun lachen en schreeuwen dringt niet tot hem door. Luidruchtige kinderen rennen en springen vlak bij onze voeten en geregeld krijgt Nyong een onopzettelijke stoot tegen zijn schouder want hij zit iets minder beschut dan ik. Nergens kan ik aan zien dat hij zo'n duw zelfs maar opmerkt of erdoor wordt gestoord. Er lijkt een onzichtbare glazen stolp om ons heen te staan. Twee poppetjes met opgetrokken benen in een eigen wereld.

'Het begin van alles,' zegt Nyong, nu haast fluisterend, 'dat was natuurlijk de komst van Helena. De oorlog met de Japanners was nog maar net afgelopen. Ze was met een vissersboot uit Soerabaja gekomen en liep met loshangend haar en op blote voeten door het dorp. Ik noemde haar daarom Amase. Op Kei lopen de vrouwen alleen met loshangend haar als ze diep in de rouw zijn. Velen waren in de rouw in die tijd en ik dacht dat zij treurde om een man, haar vader misschien. In de oorlog zijn veel mensen op Kei gestorven. Er waren geen priesters meer, er was geen eten, geen elektriciteit, er was ook heel weinig water en veel zieken maar geen medicijnen en geen verplegers. In het begin van de oorlog werkte ik al op de werf, maar in een paar jaar tijd verdwenen alle boten. Al het hout, het gereedschap, de grondstoffen voor de botenbouw, het werd allemaal weggesleept. Dus toen de Japanners vertrokken zat ik aan de kade en maakte worst van schildpadden. De darmen sneed ik in stukken van veertig of vijftig centimeter. Ik maakte gehakt van de poten. Ik had bijna geen zout meer maar ik gebruikte het laatste beetje voor mijn worsten. Je kon veel doen met die worsten. Ze waren erg in trek bij de Japanners en ook geliefd bij de Keiezen. Het gezouten gehakt duwde ik met een bamboelatje in de darmen totdat die strak stonden. De uiteinden sloot ik af met bamboepinnetjes. Al het materiaal haalde ik uit het bos en van de afgelegen stranden. Je leerde je te redden. Ik maakte een vuurtje van smeulende klapperdoppen en rookte de worsten. Ik weet nog heel goed dat ik totaal in beslag werd genomen door mijn werk. Ook herinner ik me dat ik me vrolijk voelde, want ik was jong en trots dat ik zoveel dingen kon doen: schildpadden vangen en slachten en alles fijn snijden en vuurtjes maken en worst roken. Ik vond het destijds jammer dat de Japanners begonnen weg te trekken want het waren goede afnemers en verder dacht ik toen nog niet.

Ik zag Helena pas toen ze vlak bij me stond en me aansprak. Ik zag haar met de laagstaande zon achter haar lange losse haren en ik noemde haar meteen Amase. Dat was een meisje uit een verhaal dat mijn grootmoeder mij vertelde toen ik een kind was. Amase was de mooiste, de belangrijkste, de slimste. Als kind zat ik heel vaak bij mijn grootmoeder, die meestal aan haar weefgetouw werkte en mij dan verhalen vertelde. Mijn grootvader luisterde soms ook. Dan moest hij lachen en zei: "Amase, je vertelt over jezelf!"

Maar ik geloof dat hij zich vergiste. Mijn grootmoeder

was heel oud en gerimpeld, zij was niet mooi of belangrijk, ik noemde haar Nènèh.

Terwijl ik daar op de kade zat tussen de schildpaddarmen en de gehakte schildpadpoten, mijn laatste pot zout en restjes klapperdoppen voor een rookvuurtje, keek ik omhoog langs de witte enkels van Helena en zag dat zij de eerste blanke vrouw was die naar ons eiland terugkeerde. Ze bekeek mij en mijn spullen alsof ze in lang niet zulke dingen had gezien en dat was natuurlijk ook zo.

Ze kwam uit een Japans kamp op Oost-Java, waar ze met andere Nederlandse vrouwen en meisjes ruim drie jaar opgesloten had gezeten. Ze was een van de eersten die meteen de kamppoort uit liepen zodra werd verteld dat Japan had gecapituleerd. Het was te snel. Ze had nog niets gehoord van het oproer, de chaos, de gevechten die daarna kwamen. In de kamptijd had ze de weinige familieleden die ze nog bezat allemaal verloren: haar moeder, haar zusje. Later hoorde ze dat ook haar vader was omgekomen. Ze wist naar Soerabaja te komen, waar ze had gewoond. Later kon ze niet meer vertellen hoe en met wie ze had gereisd. Ze was als in een droom. Daar in Soerabaja beleefde ze in twee maanden meer dan een mens in twee jaar aankan.

Als ik moet vertellen hoe het begon, dan moet ik ook het verhaal van Soerabaja vertellen, want anders kan niemand begrijpen hoe Helena – in een flits – kon veranderen in het meisje Amase en daarna toch weer – als een onwillige kameleon – alle kleuren kon aannemen van de vroegere Helena. Met Amase ben ik getrouwd en een gelukkig mens geweest. Helena is bij mij weggelopen. Moet ik dat allemaal vertellen?' vraagt Nyong, en verschuift wat op het dek zodat hij iets meer in de schaduw komt te zitten.

'Vertel het als je wilt, Nyong,' zeg ik, 'ik wil het kunnen begrijpen.'

Ik trek de reistas onder mijn benen vandaan zodat er wat meer ruimte in de schaduw vrijkomt. De zon heeft op zijn hoofd geschenen en zijn slapen zijn vochtig. Ik kijk er verbaasd naar, want de mensen van deze eilanden transpireren zelden behalve wanneer ze koorts hebben en ziek zijn.

Als we allebei ontspannen in de schaduw zitten, naast elkaar, schouder aan schouder, gaat Nyong verder met vertellen.

Soerabaja

'Ze was nog in een droom toen ze ergens in het centrum van Soerabaja werd afgezet. Overal in de straten en in de buitenkampongs stonden luidsprekerhuisjes, zingende torens noemden de mensen ze. Ze waren verbonden met een radiozender die nog steeds was afgesteld op de Japanse oorlogspropaganda, met toespraken van de toekomstige president van Indonesia erdoorheen. Luide marsmuziek en schreeuwende stemmen boven haar hoofd. Twee weken na de capitulatie, op 31 augustus, werd het uitsteken van de Nederlandse vlag door de Japanse gezaghebbers nog verboden. Het was de dag dat ze voor het eerst zag hoe een heetgebakerde Indojongen werd neergeslagen door iemand die een landgenoot leek. Hij had de verjaardag van de koningin willen vieren.

Geallieerde vliegtuigen strooiden biljetten uit boven de stad, witte papiertjes met vage beloften. Een maand nadat Helena haar kampcommandant had horen verklaren dat er nu vrede was in het land, lag de Britse kruiser Cumberland op de rede van Priok. Ze zocht naar landgenoten maar vond alleen een groepje ex-geïnterneerden, uit de kampen weggelopen Nederlanders, even versuft en onzeker als zijzelf. Haar ouderlijk huis was een ruïne. Verdord gras bedekte een tuin die vol oleanders had gestaan. Vroegere buren, van Chinese afkomst, waren op de vlucht geslagen, weg van de mensen tussen wie ze waren geboren. Een van hun bedienden sliep op een matje in de vroegere keuken. Hij gaf haar tijdelijk onderdak en een handvol gekookte rijst, liep met haar mee naar de winkelstraat Toendjoengan, al voelde hij zich op straat niet veilig.

"Niet veilig?" vroeg Helena, "de Japanners zijn verslagen." Maar de kleine Chinese man zweeg en kon niets uitleggen.

Het bleek dat er wat Nederlandse officieren boven de stad waren gedropt. Die hadden zich verschanst in het Oranjehotel op Toendjoengan. Vlak ertegenover was het Internationale Rode Kruis gevestigd in het logegebouw De Vriendschap. Van dat adres reden af en toe auto's naar het station om eventueel terugkerende geïnterneerden op te halen. Helena kreeg er te eten en te drinken. Ze kreeg er ook een adres voor onderdak bij particulieren. Met het papiertje in haar hand zwierf ze een tijdlang door de straten. Het was niet zozeer dat alles zo onherkenbaar was veranderd, zodat ze het adres niet kon vinden, het was meer dat de opgewonden sfeer op straat haar aantrok. Ze zocht geen plaats om te blijven. Ze wilde lopen en verder gaan en praten en luisteren. De straten waren vol. De mensen bleven niet stilstaan om te vragen of te luisteren. Iedereen wilde roepen, schreeuwen, ergens op klimmen, juichen, lachen, al wisten ze vaak niet van elkaar waarom er gejuicht en gelachen werd. Ze sliep in een leeggeroofde winkel en zodra het licht werd waren de straten alweer vol mensen. Langzaam aan kwamen de geïnterneerden terug uit de kampen, er werd steeds meer gevochten.

Helena was op straat toen die gevechten uitbraken. Er werd eerst alleen nog maar gevochten om een vlag. De paar Nederlandse officieren in het Oranjehotel hesen de rood-wit-blauwe vlag boven op het gebouw. Jonge Indonesiërs, de pemoeda's, stroomden toe, klommen op het gebouw en scheurden de strook blauw van de vlag. Nu wapperde er de vlag van Indonesië, het rood-wit, dat moest altijd zo blijven. Nederlanders uit het logegebouw konden het niet verkroppen. In het begin werd er nog man tegen man gevochten met de blote vuist.

Helena was erbij toen in de buurt van de Goebengkazerne het Oedjoengmarinecomplex werd leeggehaald door de Indonesische strijdkrachten. Van ver zag ze hoe machinegeweren en andere wapens naar buiten werden gebracht. Tanks, pantserwagens en een paar duizend vrachtauto's kwamen binnen enkele uren in het bezit van de Indonesiërs.

Ook het zendstation van de marinebasis werd ingenomen. De strijd werd feller. Groepjes mensen praatten fluisterend over een bezetting van het vliegveld Morokrembangan door gewapende Indonesiërs. Met het leeghalen van het Oedjoengcomplex hadden de Indonesiërs aan zelfvertrouwen gewonnen. Er moest nog heel wat bloed vloeien, maar eigenlijk, zo meende Helena, werd bij het leeghalen van dat complex de strijd al beslecht.

Sutomo, leider van het pemoeda-leger, boycotte de voedselverkoop aan Nederlanders. Nergens op de pasar kon een Nederlander nog iets kopen. In de Chinese wijk kreeg ze wat voedsel en ze zag er veel andere Nederlanders rondlopen. Later, als ze dacht aan die wijk, aan het voedsel in haar handen, leek het haar of er een rood waas boven de straten had gehangen. Diezelfde avond nog werden er winkels kort en klein geslagen, mannen, vrouwen, kinderen werden vermoord. Het was de straf voor het niet gehoorzamen aan het boycotbevel. Helena gooide de rest van het voedsel weg. Vanaf dat moment begon haar lichaam te trillen. Angst beheerste haar totaal. Wekenlang verstopte ze zich in een leegstaande goedang. Alleen door de honger en dorst gedreven waagde ze zich in een stil uur op straat, schoof in het donker langs de huizen. Toch zag ze wat er gebeurde in de voormalige Simpangsociëteit, op de hoek van Simpang en de Dijkemanstraat. Voor de galerij van de biljartzaal werden Nederlandse jongens en mannen gemarteld en gedood. Pas daarna overwoog ze of ze zich toch maar niet zou laten interneren in het voormalige Darmokamp, dat nu een Rode Kruis-status had. Op haar zwerftochten had ze aan haar hand een verwonding opgelopen die geïnfecteerd was geraakt. Koortsig hield ze zich schuil in een greppel en merkte dat ze moeite had met denken. Ze durfde zich nergens te melden, iedereen kon de vijand zijn. Vaag dacht ze aan de haven, vluchten met een schip. Ze had gehoord dat de Brits-Indische troepen van Mallaby het havengebied bezet hielden en ook Morokrembangan hadden veroverd tot aan de Bataviaweg tussen het Priokplein en de Ferwerdabrug. Maar het bleven namen in haar hoofd. Hoe je er kon komen, hoe je op je benen moest staan, hoe je je hersens in werking kon zetten, dat leek ver buiten het bereik van haar mogelijkheden te liggen.

Toch liep ze op straat toen de gevechten uitbraken bij de twee bruggen, de Jembatan Semoet en de Jembatan Merah. Het trillen van haar lichaam was ineens opgehouden, een gevoel van onverschilligheid was ervoor in de plaats gekomen. Ze had het gevoel rond te kunnen lopen zonder te worden gezien. Ze werd in een auto getrokken. "Are you crazy," zei een Engelse stem. Ze reed mee, veilig weggedrukt tussen Britse officieren. In de buurt van het Internatiogebouw was een wegversperring en een uitzinnige menigte drong naar de stilstaande auto toe. Alles ging heel vlug. Indonesische leiders klommen op de motorkap, vroegen het volk zich rustig te houden, maar vluchtten toen zelf weg.

Een pemoeda lost een schot in de wagen. Niemand is gewond maar iedereen laat zich voorover vallen en houdt zich dood. Het is vreemd dat de auto zo een tijdlang blijft staan, een eilandje midden in een zee van geweld. Andere auto's worden beschoten. Het blijft stil om hen heen. Als Helena wil gaan zitten, drukt een officier haar omlaag. Dan stapt een pemoeda in, gewapend met een geweer. Hij gaat achter het stuur zitten. Neemt hij aan dat ze allemaal dood zijn? Als een van de officieren overeind komt en hem verzoekt naar de Indonesische legerleiding te rijden, geeft hij een schreeuw van schrik, springt uit de auto en holt weg. Een andere pemoeda komt aanlopen en dezelfde officier herhaalt zijn verzoek. De pemoeda schiet hem dood. De officier die bijna boven op Helena ligt, komt nu overeind met een granaat in zijn hand, gooit die naar de pemoeda. Er volgt een ontploffing. De menigte rent alle kanten uit. De officieren springen de wagen uit, trekken haar mee, rennen naar de Kali Mas en gooien zich in het water. "Swim for God's sake!" schreeuwt een van de mannen en met z'n drieën zwemmen ze de trage rivier af tot ze een paar kilometer stroomafwaarts aan land kunnen gaan in het door de Britten bezette havengebied. Het is dan nauwelijks drie maanden na de capitulatie.'

Intermezzo in Saumlaki

Nyong zwijgt lang na zijn op gedempte toon vertelde verhaal. Hij blijft mij vol verwachting aankijken.

Ten slotte zeg ik: 'Hoe kom je aan de namen van al die plaatsen waar zij is geweest? De Goebengkazerne, het Oedjoengmarinecomplex, de Simpangsociëteit, Loge De Vriendschap, het Oranjehotel?'

'Ik heb het allemaal onthouden,' zegt Nyong, bijna trots.

'Maar je verhaal klinkt daardoor onwaarschijnlijk,' vertel ik hem wrevelig. 'Het lijkt of je het opleest van een papiertje, alsof het een artikel uit een krant is.'

Nyong kijkt verbaasd. 'Dat is het toch ook een beetje. Het staat allemaal op mijn scherm. Het scherm zit in mijn hoofd. Het is Amases stem die het voorleest. Ik zeg haar alles na.'

Hij kijkt naar mijn gefronste voorhoofd, mijn wegkijkende ogen en zegt dringend: 'Let nou op, Ibu! Het ging zo: zij moest mij haar verhaal vertellen. Niet één keer, maar tien keer, twintig keer. Elke dag van ons samenzijn moest het verhaal opnieuw worden verteld. Zoals je je gezicht wast. Of zoals je een gebed opzegt, dat is misschien beter. In het begin onthield ik de namen niet. Ik had wel een plattegrond van Soerabaja. Die heb ik nog. Met de oude straatnamen. De nieuwe heb ik er later bijgeschreven. Bij de naam Sutomo heb ik Boeng Tomo geschreven. Zo werd hij toen genoemd. Hij sprak in die dagen elke morgen voor Radio Pemberontakan. Dat heb ik erbij geschreven en daarnaast "Radio Opstand", want dat betekent het in het Nederlands. Bij de naam Simpang heb ik gezet Jalan Pemuda en de Dijkemanstraat is nu Yos Sudarsa. De hele plattegrond is volgeschreven met de nieuwe namen. Ook heb ik haar hele verhaal nagegaan bij heel veel anderen. Bij pemoeda's, bij een enkele achtergebleven Brit, bij nooit weggestuurde Nederlanders. Er zitten kleine fouten in haar verhaal, maar de grote lijn klopt. Ook die schietpartij op het eind. Er is een auto vol Britse officieren geweest tijdens de gevechten bij de bruggen. Die auto was op weg naar de Indonesische legerleiding om te onderhandelen. Er was een staakt-het-vuren afgekondigd. Ze meenden veilig te zijn. "Een van de officieren," zegt Helena in haar verhaal. Dat is niet juist. Het was brigadegeneraal A.W.S. Mallaby, die met vierduizend man Brits-Indische troepen in de Perakhaven lag, met het fregatschip Wavery. Mallaby zat met twee officieren in de auto toen die bij een wegversperring moest stoppen en aangevallen werd door de pemoeda's die door het dolle heen waren. Het was geen officier die vroeg naar de Indonesische legerleiding gebracht te worden, het was Mallaby. Het was Mallaby die werd doodgeschoten en kapitein Smith trok de pin uit de granaat en gooide die over het dode lichaam van Mallaby heen. Misschien hebben de officieren een alleenlopende blanke vrouw in hun auto getrokken, maar ik heb niemand gevonden die dat heeft gezien. Mogelijk heeft zij daar staan toekijken. Misschien heeft zij het verhaal alleen van anderen gehoord. Wie zal het zeggen. Onze geest speelt ons vreemde parten. Ikzelf wil haar wel geloven.

Zoals zij het beleefde, heeft ze het mij beschreven, ze was daarbij heel oprecht. De kapiteins Smith en Laughland zijn de auto uitgevlucht nadat er door de ontploffing paniek was gezaaid. Ze zijn de Kali Mas ingesprongen. Hun auto stond daar dichtbij. Na anderhalve kilometer in die traag stromende rivier zijn ze aan land gekomen in het door hun eigen troepen bezette havengebied. Helena was daarbij, ik ben er zeker van. Hoe zou zij anders vanuit de gevechtszone in het Britse deel van de stad gekomen zijn? In die dagen lag er een LST in de haven, een Landing Ship Tank. Daarmee zijn evacués naar schepen gebracht die voor anker lagen in de Straat van Madoera. Die dag is er een troepentransportschip uit de haven van Soerabaja vertrokken, de Queen Emma. Maar ook is de Australische hulpkruiser Bulolo uitgevaren. Misschien is zij aan boord geweest van een van die schepen. Het kan ook zijn dat ze op haar eigen houtje een andere boot heeft gevonden. Want zo was Helena in die dagen. Ze wilde nooit meer gecommandeerd worden. Voortaan wilde ze alleen nog doen wat ze zelf besloot.

Ik vind het niet goed dat u aan haar twijfelt. Ze is uw landgenote. Ik zal u de plattegrond laten zien en u alles aanwijzen. Hij ligt nog in Tual in het kastje waar ook mijn leesboekjes liggen, die van de lagere school en het kruidenboek van mevrouw Kloppenburg en de liederenbundel van *Kun je nog zingen, zing dan mee*. De plattegrond van Soerabaja heb ik meegenomen toen ik nadat zij was weggegaan van Kei, naar Ambon ben gereisd om haar te zoeken. In Ambon was ik maar kort. Ik ontdekte al snel dat zij was doorgereisd naar Soerabaja. Ik volgde haar. Ik dacht dat zij misschien op zoek was naar haar broer. Ik vond haar spoor bij het Rode Kruis. Daar had zij een tijdje gewerkt. Maar toen ik er kwam was ze daar alweer weg, niemand wist waarheen ze was gegaan. Ik dacht dat ze misschien nog in Soerabaja zou zijn. Ik heb alle plaatsen opgezocht waarover ze vertelde in haar verhaal van die twee maanden vlak na de bevrijding.

Bij onze eerste ontmoeting haalde ik mijn plattegrond te voorschijn en terwijl ze me het verhaal vertelde, wees ze me alle plaatsen aan: de Goebengkazerne, de Simpangsociëteit en Toendjoengan met het Logegebouw en het Oranjehotel. Ook het havengebied streepte ik aan en de Straat van Madoera waar ze op een Australische boot ging die haar afzette op Ambon. Daar vond ze een vissersboot naar Toeal. Ze wilde naar Kei. Bij het uitbreken van de oorlog werkte haar enige broer hier. Maar hij was afgevoerd naar een kamp op Celebes en ze heeft hem pas gevonden bij het Rode Kruis in Soerabaja, lang na het einde van de oorlog. Hij was een naam op een stuk papier. Dat hebben ze me daar verteld. De dag nadat ze dat te horen had gekregen is ze verdwenen. Niemand daar heeft meer iets van haar gehoord. Ik heb me nog vaak gemeld op dat adres.

Haar verhaal ken ik zo goed omdat zij het steeds op dezelfde manier vertelde. Het begon altijd met die zingende torens, golven van geluid boven haar hoofd en daarna die jongen die werd neergeslagen op Koninginnedag omdat hij de Nederlandse vlag wilde uitsteken.

Dat was het eerste geweld dat zij zag. Daarna kwam het verhaal over Toendjoengan en het Oranjehotel. Hoe zij zag dat de Nederlandse vlag veranderde in de Indonesische vlag. Zo simpel. Een enkele ruk en de Nederlanders werden weggeveegd uit het land. De Republiek werd op dat ogenblik geboren, wezenlijker dan op 17 augustus bij de proclamatie van Soekarno.

Ik heb alles onthouden omdat wij beiden zo vol emoties waren bij dat verhaal. Haar gezicht was soms helemaal verkrampt, de dunne schouders werden opgetrokken tot aan de oren en staken bijna door het dunne vaalgewassen katoen van haar jurkje heen. De ogen leken in haar angstige gezicht wijdopen gesperd. En ik, daarentegen, werd met trots vervuld. Wel keek ik ernstig en troostte haar en ik voelde met haar mee maar tegelijkertijd was ik heimelijk blij en voelde me als een pemoeda, ik was de overwinnaar, mijn republiek was ontstaan. Niet alleen de Japanners waren verslagen, maar ook de Britten, ook de Nederlanders.'

Nyong geeft mij een vriendelijk klapje op mijn handen, die ik in elkaar gewrongen op mijn knieën heb gelegd.

'Het is voorbij, Ibu!' zegt hij sussend. 'Ik praat over zoveel jaar geleden. We zijn allebei oud en kunnen er nu om lachen. Ik vertel het verhaal van een jongeman. En u heeft gezegd dat een goed verhaal de waarheid moet vertellen.'

'Het was een goed verhaal, Nyong,' breng ik met moeite uit, want mijn rug is stijf geworden en mijn been is gaan slapen.

'Is dat streepje land daarginds, heel in de verte, de kust van Tanimbar? Ik wil nu even mijn benen strekken en met mijn gezicht in de wind staan.' Het kost me moeite mijn lichaam weer in beweging te krijgen.

In Saumlaki laat ik Nyong achter bij de haven. De douane houdt hem aan. Hij moet gefouilleerd worden en formulieren invullen over de reden van zijn komst naar Tanimbar. Zelf mag ik als toerist meteen doorlopen.

En dat doe ik. Ik verbeeld mij zelfs dat Nyong mij met een haast onzichtbare wenk aanmaant om dat te doen. Maar als ik de pier af loop ben ik er al niet meer zo zeker van. Heb ik hem niet gewoon in de steek gelaten? Waarom heb ik niet gezegd dat hij in mijn dienst is als gids. Ben ik kwaad op een jonge pemoeda die mij en mijn landgenoten van zijn geboortegrond heeft verjaagd? Maar ik ben het altijd eens geweest met het ontstaan van de Republiek. Ik heb altijd gevonden dat ze gelijk hadden, dat het hoog tijd werd dat wij vertrokken uit een land waar we eigenlijk nooit iets te maken hebben gehad.

Ik draai mij om en loop terug, maar ik word tegengehouden. Ik zeg dat ik Nyong ben kwijtgeraakt bij het douanekantoortje. Hij is mijn gids en ik heb hem nodig.

Ze begrijpen het maar toch moet ik doorlopen. Daarginds staan de taxi's. Harapan Indah is het beste hotel. Ze zullen wel doorgeven aan de douaniers dat Nyong daar door mij wordt verwacht.

Dat laatste heb ik helemaal niet gezegd en dat heb ik ook niet bedoeld. Ik ga daar niet op Nyong zitten wachten. Hij is op eigen houtje naar Tanimbar gegaan en heeft gezegd dat hij zich wel zou redden, hij heeft genoeg geld. Zijn verhaal over Amase is nog lang niet uitverteld, hij zal mij dus wel weer komen opzoeken. Daar kan ik toch mijn plannen niet voor veranderen? Hij moet zijn eigen leven leiden. Maar ik zie geen kans om dit allemaal uit te leggen aan de bewakers op de pier. Gefrustreerd loop ik verder de kade af.

Het hotel is een paradox. Aan het interieur is veel zorg besteed. Marmeren vloeren, leren bankstellen. Met houtsneden versierde zwarte schermen staan rond eettafels en stoelen. Palmen in potten op de lange gangen. Maar de kamers zijn donker en somber. Het woord 'spelonken' komt in me op. De kamers zijn lang, laag en hol. De wc is ronduit smerig, de schrijftafel te vies om mijn schriften op te leggen. Kapotte gordijnen hangen voor de ramen. Ook is er een raam naar de gang en onder dat raam staan in de gang gezellige zitjes waarop luidruchtige mensen op topsterkte zitten te discussiëren. Ze schreeuwen praktisch vlak naast mijn bed. Toch is het lawaai niet het ergste. Onoverkomelijk lijkt me de duisternis. De lamp op de schrijftafel gaat niet aan. Geen enkele lamp gaat aan, want de elektriciteit is afgesneden van vijf uur 's ochtends tot zes uur 's avonds. Alleen als je gaat slapen is er licht, en de tv op de gang staat aan tot diep in de nacht.

Overdag moet ik hier niet zijn. Ik kan er niet lezen of

schrijven. Ik voel mij miserabel en hoop dat Nyong gauw zal komen.

Maar Nyong komt die avond niet.

De volgende dag ga ik dan toch maar naar het gebouw van de katholieke broeders. Dat deden reizigers vroeger altijd in een gebied waar nog geen hotels waren. Maar nu er vrijwel overal hotels zijn lijkt het mij niet in de haak een beroep te doen op hun gastvrijheid. In ieder geval kan ik wel om raad gaan vragen. Ik heb die raad dringend nodig.

In het gebouw van St. Joh. Vianney, vind ik pastoor Kees Böhm en hij blijkt een godsgeschenk. Hij is een man van de praktijk en weet wat ik nodig heb zonder dat ik hem eerst alles uit de doeken hoef te doen.

Hij begint met een kaart van Yamdena, het grootste gebied van Tanimbar. Op het zuidelijke puntje ligt de hoofdplaats Saumlaki en ook alle kustdorpen staan op de kaart. Het binnenland is ondoordringbaar oerwoud.

Die kaart kan hij niet missen, maar ik krijg er de naam bij van de winkel waar ik fotokopieën kan laten maken. Toko Remaju, honderdvijftig roepia per bladzij.

Verder vertrouwt hij me een oud boek toe. *Het leven van de Tanimbarees* door P. Drabbe.

Het Harapan Indah lijkt hem een goede keus, maar ik spui meteen mijn bezwaren: ik kan daar overdag niet werken, niet lezen of schrijven. In de nacht kan ik er nauwelijks slapen.

Meteen is er een oplossing: in Olilit Lama, een dorp ten noorden van Saumlaki, ligt een nieuw landbouwproject met een seminarie erbij. Het wordt geleid door broeder Smits en heet Das Fendrewe. Daar is een logeerkamer. Misschien kan ik er een tijdje wonen. Eerst moet ik het zien en er moet worden overlegd met broeder Smits.

Op de motor brengt hij mij erheen. Voor het eerst schuift

nu iets van het landschap van Tanimbar aan mijn tegen het stof half dichtgeknepen ogen voorbij. Heuvels, een flits rood van flamboyanten, groen van bamboebossen, hier en daar houten huizen en dan Das Fendrewe.

Broeder Smits is een hartelijke man en de kamer die hij te bieden heeft is prachtig. Een grote werktafel, twee makkelijke stoelen en een bed staan op een splinternieuwe vloer van *kaju besi* in een warme glanzende goudbruine kleur. Geen gordijnen voor de grote ramen die over velden uitzicht geven op zee. De wc is wel een heel eind lopen. Je moet dwars door de pas aangelegde groentetuinen heen, er zit nog geen deur in. Water is schaars en wordt per emmer aangedragen vanaf een bron in de buurt. Als ik behoefte heb aan privacy tijdens het bad in de emmer, hoef ik de gereedstaande deur maar voor de opening te schuiven. Om tien uur 's avonds gaat hier het licht uit en om vijf uur in de ochtend gaat het weer aan. Er hangen wel geen gordijnen voor de ramen maar je kunt je ook in het donker uitkleden. Het is een hele verbetering na Harapan Indah.

Bij volle maan rijd ik achter op de motor terug naar Saumlaki. Heuvels en slingerwegen, af en toe een kuil. Maar het hindert niet, ik draag een valhelm.

Op de pasar koop ik een beker voor het tandenpoetsen, een kleine gayong voor het baden in de emmer en een Sonia Super Flash, een neonbuislamp die op batterijen werkt. Als om tien uur het licht uitgaat kan ik nog in bed liggen lezen.

Ik loop rond in een roes die dicht bij euforie komt. Ik merk het nauwelijks als op de pasar een klein kind schreeuwend voor mij wegholt: zo'n grote witte vrouw moet een geest zijn. De euforie is over me gekomen toen ik hoorde dat hier binnenkort een groep Javanen uit Jogya wordt verwacht, een filmploeg, gesubsidieerd door de staat. De kleine expeditie heeft de opdracht de binnenlanden van Tanimbar in te trekken om daar de plaatselijke dansen te filmen. Ze zullen mij wel willen meenemen, denkt pastoor Böhm. Ik betwijfel sterk of ze dat echt zullen willen, maar het maakt niet zoveel uit. Ik geloof heilig in het vermogen van pastoor Böhm om die mannen te pressen mij toch mee te laten gaan op die expeditie. Het is voor mij een kans uit duizenden.

Ik besef dat ik er een week of twee op zal moeten wachten. Misschien worden het drie weken of meer. Maar wat maakt dat uit. De boot van de missie zal de kleine expeditiegroep naar het noorden varen langs de oostkust van Yamdena. En ik zal aan boord zijn. Het is moeilijk om nog aan iets anders te denken en ik merk het niet bewust als ik bij de trappen van de pasar haast tegen Nyong aan bots. Ik groet hem vrolijk maar gedachteloos en wil hem voorbijlopen. Maar hij komt me achterna. Hij heeft een onderdak gevonden bij vrienden aan de haven. Als ik zeg dat ik op het punt sta te vertrekken naar Olilit Lama, denkt hij even na maar besluit dan dat hij voorlopig zal blijven waar hij is.

Zijn vriend rijdt als chauffeur in een minibusje alle dorpen af en zal hem zeker ook af en toe naar Olilit Lama kunnen brengen.

'Ik wil u het verhaal vertellen van mijn huwelijk met Amase,' zegt hij dringend.

'Het was een islamitisch huwelijk en het heeft heel wat voeten in de aarde gehad. De mensen zullen het niet licht vergeten. Het kwam erop neer dat Amase zich niet kon schikken. Ze weigerde gewoon zich te onderwerpen aan de gebruiken van de adat.

Ze gilde en schreeuwde, ze rukte zich los en rende naar het strand. Het hele dorp liep achter haar aan. In haar vertwijfeling liep ze de zee in en kon nog maar net worden gered.'

'Op haar eigen bruiloft?' vraag ik ongelovig. Het komt me voor dat hij vast een kort overzicht geeft van het verhaal dat hij wil vertellen. Probeert hij mijn interesse te wekken?

Nyong knikt. 'Het gebeurde na de naamsverandering. Zij was dus al een islamitische vrouw. Die eerste nacht waren we samen geweest. Eigenlijk had ze moeten slapen in het huis van de imam, maar dat wilde ze niet. Ze kwam naar mij toe. Alles was goed en ik was een gelukkig man.

Ik kan dat verhaal niet vertellen in Saumlaki, bij de trappen van de pasar.'

'Goed, goed!' zeg ik haastig. 'Kom dan morgen maar naar Olilit Lama, Nyong. We vinden wel een stille plek aan het strand.'

Het zingen van de Salawatan

'Als mijn vader er in die tijd niet zo slecht had voorgestaan, skeletmager, lijkbleek, aanleunend tegen de dood, dan had ik hem misschien nooit zijn zin gegeven. Dan zou ik niet op deze manier met Amase zijn getrouwd.'

Nyong legt wat gekookte rijst, twee pisangs en een papaja naast mij neer op de open plek aan de mangrovekust.

Langs moeilijk te traceren zandweggetjes en door lang verwaarloosd, verwilderd geboomte hebben we deze plek vlak aan zee bereikt.

'Ik haal even een vis,' zegt Nyong en maakt aanstalten om naar zee te lopen. Maar ik hou hem tegen, ongeduldig en ditmaal niet bereid me aan te passen.

'Biar lah!' zeg ik, 'laat toch, Nyong, er is genoeg te eten.' En ik haal een potje sambal dat ik op de pasar heb gekocht uit mijn schoudertas.

'Bedoel je dat je eigenlijk niet met Amase wilde trouwen? Kwam dat door Sabaroe?'

'Nee! Nee!' Nyong gaat nu op zijn gemak met gekruiste benen tegenover mij zitten en steekt een kreteksigaret op. De rook drijft weg langs omgevallen, kriskras door elkaar liggende boomstammen, door dichtbebladerde wilde mangobomen, naar zee.

'Sabaroe was de reden dat mijn vader mij preste om met Amase te trouwen, ook al was de situatie voor zo'n gemengd huwelijk op dat ogenblik niet bijzonder gunstig. Maar de onderhandelingen over het huwelijk met Sabaroe waren weer eens op niets uitgelopen. Mijn vader kwam doodop, hoestend en hijgend naar adem, van zo'n bespreking terug. De familie van Sabaroe wilde de bruidsprijs niet verlagen. Ook was het bedrag van veertigduizend roepia dat hij moest betalen aan de *bapak muda*, de jongere broer, verhoogd met vijfduizend roepia. Er was in die tijd haast geen geld meer op de eilanden. Sinds de komst van de Japanners was er nauwelijks geld bijgekomen. De handel lag stil. De verbindingen met andere eilanden waren verbroken. Er waren weinig huwelijken en de jonge meisjes werden elk jaar duurder.

Mijn vader was niet bang om te sterven. Al sinds maanden leefde hij in een intieme omarming met de dood. In koortsachtige nachten snoof hij er de geur van op, hij was ermee vertrouwd geraakt. Wel was hij bang te sterven zonder zijn enige zoon getrouwd te weten. Zonder de zekerheid dat die zoon het geslacht had voortgezet door zijn zaad te laten kiemen in vruchtbare grond.

Amase was hem vreemd. Zij van haar kant deed weinig om hem te leren kennen. Maar zij had tenminste geen familie die een hoge bruidsschat vroeg. Hij hoefde niets voor haar te betalen en daarom was hij er niet zeker van of zij misschien niet een *bungah busuk* was, hoe noem je dat.'

'Een verwelkte bloem,' vertaal ik, 'een kat in de zak. Waarom zou ze dat zijn?'

'Mijn vader wist niet of zo'n schoondochter wel goed zou kunnen werken in zijn huis. Dat werd van haar verwacht. Hij probeerde er met haar over te praten maar zij haalde haar schouders op. Ze had weinig geduld met hem en ze begreep niet waar hij het over had.

Ik kom uit een moslimfamilie. De islam had veel mensen verloren aan de missie en de zending. Voor de oorlog werd er voor een bekeerling, een christen die moslim wilde worden, wel honderd gulden betaald. Soms liep dat bedrag zelfs op tot negenhonderd, duizend gulden, als het ging om een belangrijk man die veel anderen zou kunnen beïnvloeden. Maar in de oorlogsjaren werd dat niet meer gedaan. Er was geen geld voor.

De imam moest het huwelijk inzegenen, dus Amase moest zich bekeren tot het islamitische geloof. Dat wilde ze wel want voor haar waren alle godsdiensten gelijk, zei ze. En Sabaroe zag het als een spel. Ze was er trots op dat ze Amase wat kon leren. Amase moest heel wat leren voordat ze een huwelijk met een moslim kon sluiten.

Altijd zaten ze samen te giechelen, die twee. Ik weet niet eens of Sabaroe wel echt heeft geprobeerd haar de gewoonten van de islam duidelijk te maken. Ze leerde haar het zingen van de Salawatan, Glorie voor Allah en zijn Profeet! Waar het Sabaroe vooral om te doen was, leek me, was Amase te doordringen van mijn persoonlijke gewichtigheid. Ze was een soort zuster van me geworden en keek erg tegen me op. De hele dag was zij al mijn goede eigenschappen aan het opsommen, want ze had zichzelf de rol toegekend van huwelijksmakelaarster. Dat is niet zo vreemd als je weet dat haar moeder in ons dorp diezelfde rol vervulde. Ze kende dus alle regels en slimme praktijken. Soms ving ik iets op van de gesprekken die Sabaroe en Amase voerden. Ze zaten samen op het strand, de armen om elkaar heen en lachten uitbundig. Helena wilde eigenlijk helemaal niet trouwen en ze plaagde Sabaroe door al mijn slechte eigenschappen op te sommen. Maar ik geloof niet dat het tot haar doordrong wat er van haar werd verwacht. Ze lachten niet om de nieuwe gewoonten die Helena zich nu moest eigen maken. En ze lachten vast niet om onze adat waarover Sabaroe haar had moeten vertellen. Het gesprek ging altijd over mij: dat ik de knapste jongen was van het hele dorp, dat ik voor de oorlog jarenlang op Ambon op school had gezeten en daarna naar de universiteit was gegaan, dat ik Engelse boeken las, dat ik mij in de oorlog staande had weten te houden door allerlei dingen te verzinnen om de Japanners om de tuin te leiden, door ze voedsel afhandig te maken, door een voordelige regeling te treffen voor het hele dorp dat even buiten Toeal lag.'

'Verzon ze die dingen dan gewoon? Was er niets van waar?'

'O, het was wel waar,' zegt Nyong en zijn huid wordt nog iets donkerder, alsof hij bloost.

'Ik heb jaren gestudeerd op Ambon. Tot de Japanners kwamen. Ik las Engelse boeken, maar daar ging het toch niet om? Zij moesten niet zitten giechelen aan het strand over wat ik waard was. Er kwam geen betaling aan te pas. Niet van haar kant. Niet van mijn kant. Wel moest ze een moslimvrouw worden. Ze moest onze gewoonten aannemen.

Voor Amase bleef het een spel en voor Sabaroe ook. Soms denk ik: als het aan de vrouwen zou liggen, werd er alleen gelachen en gespeeld en het zou nooit tot trouwen komen.'

'Dat denk ik niet, hoor,' zeg ik ernstig. Nyong recht zijn rug een beetje, hij glimlacht en lijkt zelfs gerustgesteld.

'Nou ja, ze was jong,' zegt hij en langs mij heen staart hij naar het strand, de zee, en ziet daar misschien een piepjonge spillebenige Amase met lang golvend blond haar en blauwe ogen die in haar vaalgeworden katoenen jurkje en met opgetrokken rokken door de golven springt en lacht en lacht. Ze staat veraf van de gebondenheid waaraan elke moslimvrouw moet wennen.

'Sabaroe nam jou dus niets kwalijk?' vraag ik.

'Die was net een kind,' zegt Nyong, 'ze was wel vier jaar ouder dan ik, maar ze is altijd een kind gebleven. Vriendelijk en lief en behulpzaam. Maar onbezonnen en ook een beetje...' Hij aarzelt.

'Een beetje dom?' vraag ik plompverloren.

Maar daar schrikt hij van en hij ontkent het meteen.

'Nee, dom was zij niet. Zij was zo lief dat zij veel dingen niet kon begrijpen. Je vertelde haar van alles en zij knikte begrijpend met grote vochtige ogen, die altijd keken of ze blij was je te zien. Maar even later was zij alles wat je haar had verteld alweer vergeten. Het liep door haar hoofd als zand door een zeef. Zij kon lachen en zingen en je vertellen over de dingen van alledag, ze was heel praktisch en ze vergat nooit iemand die ziek was of hulp nodig had. Ze kon heel aanhankelijk zijn en ze hield van mensen en dieren. Haar familie was dol op haar. Soms denk ik: ze vroegen zo'n hoge bruidsschat omdat ze haar liever niet kwijt wilden.'

Ik verzwijg nu maar mijn vermoeden dat Sabaroe waarschijnlijk een beetje achterlijk was en vraag: 'Had je graag met haar willen trouwen?'

Nyong schudt nadenkend zijn hoofd. 'Trouwen wilde ik alleen met Amase. Toen ik haar ontmoette, ontdekte ik pas dat ik Sabaroe wel altijd als mijn toekomstige vrouw had gezien maar dat ik nooit op haar verliefd was geraakt. Nadat ik Amase had gezien bestond er geen andere vrouw voor mij dan zij. Ze was niet als Sabaroe. Ze heeft nooit mijn stervende vader een beker water aangereikt of een lepel voedsel naar zijn mond gebracht. Dat deed Sabaroe wel. Ik weet eigenlijk niet waarom ik per sé trouwen wilde met Amase. Misschien omdat zij mij zo deed denken aan dat avontuurlijke meisje uit de verhalen van mijn gestorven grootmoeder. Of om haar lange blonde vlasharen. Of omdat ze nergens bang voor was. Of omdat ik met haar kon praten over gedichten en zelfs over de politiek van het nieuwe Indonesië. Maar misschien was het nog iets anders. Die dingen zijn moeilijk onder woorden te brengen. Zij was de onbereikbare verte, de regenboog, het zaligmakende geluid dat je denkt te horen vlak voor je in slaap valt: het luiden van een klok, heel diep onder het water van de zee.'

'A sound between two silences,' draag ik bij.

'U praat ook over gedichten,' zegt Nyong peinzend. 'Toch kan ik niet met u trouwen. We zijn te oud.'

'En ik heb geen lange blonde haren en ben voor veel dingen bang,' voeg ik eraan toe.

Hij knikt ernstig, want alleen in het Westen zegt men zulk soort dingen lachend, alsof men het eigenlijk niet meent. Maar hier lijkt het allemaal te waar om niet gemeend te worden. Daar gaat het immers om: we zijn te oud. Alleen de verhalen zijn er gelukkig nog.

'Het huwelijk ging door?' vraag ik na een tijdje.

'In zekere zin ging het door. Sabaroe zei dat ze Amase alles had verteld en dat zij had toegestemd. Er kwam een groot feest, al was er geen overvloed en al moesten er kleine dingen worden veranderd omdat niemand precies wist hoe het moest worden geregeld. Het leek toen onbelangrijk omdat alle oude waarden begonnen te wankelen. Een nieuwe wereld was bezig te ontstaan. Het was een plechtige dag. Het ging mijn dorpsgenoten vooral om de zuivering en de verandering van naam. Helena moest veranderen in Amase en ze moest worden gereinigd door de vrouwen van het dorp. Die wilden al het vuil dat aan haar kleefde door het eten van christenvoedsel van haar afboenen. Amase vond dat best. We zagen toen nog geen enkel probleem.

Om drie uur die middag werd een bel geluid. Die hing midden in het dorp. In het huis van de imam zat Helena omringd door vrouwelijke dorpsgenoten en kinderen. Ze zaten allemaal op matjes. Op de twee enige stoelen zaten de imam en mijn vader, Helena's toekomstige schoonvader. Maar Helena was het enige mooi opgemaakte meisje. Alle lippenstift en poeder die nog te krijgen was in het dorp werd gebruikt om haar zo mooi mogelijk te maken en die hele morgen waren de vrouwen in de weer geweest met haar kapsel. Ook uit de omliggende dorpen kwamen vrouwen aanlopen en iedereen bracht een gift mee omdat volgens de islamitische traditie een *muallaf*, dat is een bekeerling, het recht heeft op *zakat*, een soort religieuze tax. In plaats van geld, dat in die tijd bijzonder schaars was, brachten de vrouwen van alles mee voor een huishouden. De een bracht een bord, de ander een glas of kopje. Bovenal werd de schenking gewaardeerd van gebruikte kleding, alles keurig gewassen en gestreken. Mijn vader had als belangrijkste gift twee nieuwe beha's die hij zelf gekocht had op de pasar. Die kledingstukken waren zo belangrijk omdat het de bedoeling was dat de bruid alle bezoedelde attributen zou kunnen weggooien en er voldoende puur islamitische zaken voor in de plaats zou hebben.

In de tuin van het huis van de imam stonden een stuk of tien blikken gevuld met heilig water uit de put van de imam. De vrouw van de imam gaf te kennen dat de bruid gebaad zou worden vóór de moskee.

Alle gasten gaan in processie met Helena naar het voorhof van de moskee. Er is rebana-muziek. De vrouwen zingen Salawatan, glorie aan Allah en zijn profeet Mohammed. Daar in dat voorhof vormen dan een aantal vrouwen een kring. Ze spannen een lange doek tussen hen in om de badplaats af te schermen. De mannen dragen grote blikken met het geheiligde water aan en trekken zich dan terug. De imam en mijn vader blijven ook op een afstand. Mannen horen bij deze ceremonie niet te kijken. Wat volgt is vrouwenwerk. Ik weet er alleen van door de beschrijvingen van Amase en Sabaroe.

Helena staat met het gezicht naar de moskee. De vrouw van de imam en een stuk of tien helpsters, de belangrijkste vrouwen uit het dorp, maken zich nu op om Helena te reinigen. Allemaal zijn ze donker gekleed en zwaar gesluierd. Amase vertelde mij later dat de vrouwen haar, op haar verzoek, hadden toegestaan een hemdje aan te houden.

Er wordt een grote bak aan haar voeten gezet. Die wordt gevuld met het brakke water uit de bron van de imam. Dan wordt er roodbruine aarde aan toegevoegd uit het hof van de moskee. Met die rijke roodbruin gekleurde vloeistof wordt eerst Helena's hoofd en haar flink gewassen. Dan boenen de vrouwen om beurten haar lichaam. Uit de lange rij blikken wordt steeds nieuw water in de bak gegoten. Er wordt opnieuw aarde toegevoegd. Haar neus, haar tanden, haar hele mond worden met het heilige badwater gereinigd. De vrouwen boenen haar neus, tong en tanden met een bebladerd stokje en met een versleten tandenborstel. Het gaat er niet zachtzinnig aan toe. Alle lichaamsopeningen moeten goed worden gereinigd van al het verboden voedsel waarmee het in aanraking is gekomen. Het baden duurt lang. Het is pas afgelopen als al het water uit de blikken is gebruikt en alle helpsters doodop zijn.

Helena wordt afgedroogd en aangekleed. Het katoenen jurkje waarmee ze uit het kamp kwam wordt verbrand en ze krijgt een blauwe kabaja aan, een gebatikte sarong, een taille-sjerp. Tot slot wordt er een roze sluier over haar blonde haar gelegd. Helena wordt op de veranda van de moskee neergezet. De vrouw van de imam zit naast haar en een dichte cirkel van een stuk of vijftien oude vrouwen komt om haar heen staan. Ze vragen Helena hen woord voor woord de *sahadat*, een biecht kun je het noemen, na te zeggen. Aan het eind daarvan roept de vrouw van de imam luid dat haar oude naam is gestorven en dat ze voortaan Amase heet.

Amase maakt, gebogen op handen en voeten, een *sungkem*, als teken van respect ten opzichte van de *muslimat*, de gemeenschap van moslimvrouwen. Het belangrijkste is dan achter de rug. De omstanders zingen de Salawatan. Ze lopen naar het huis van de imam en iedereen drinkt thee.

Amase is aardig geschrokken van de hardhandige waspartij. Ze voelt zich vreemd in sarong en kabaja, en als de vrouw van de imam haar een kamertje wijst in haar huis waar ze die nacht zal moeten slapen, sluipt ze op een geschikt moment de deur uit en rent naar mijn huis.

De volgende ochtend, heel vroeg, wordt zij uit mijn kamer ontvoerd door een grote menigte verontwaardigde vrouwen. Zij wordt meegenomen terwijl ik bij de put sta te baden.

Amase wist op dat moment niet dat volgens de islamitische traditie op de tweede dag van het feest de besnijdenis plaatsvindt. Dat komt door Sabaroe. Ze heeft waarschijnlijk niets over dit ritueel verteld om Amase niet ongerust te maken. Of misschien was ze *maloe*. Ook is het mogelijk dat ze best begreep dat Amase het wegknippen van de clitoris bij voorbaat zou weigeren en dat het huwelijk dan niet door zou gaan.

Terwijl ik me baadde bij de put hoorde ik een geweldige commotie. Het geluid van stampende, dansende voeten en het hoge gillen van vrouwen. Toen ik dichterbij kwam zag ik nog net hoe Amase de zee in liep, het leek een spel.

De dorpsbewoners gooiden zich lachend en schreeuwend in het water en ik dacht zelf dat alles achter de rug was, want, ziet u, ik had het vaker meegemaakt, al houden mannen zich altijd op een afstand. Het blijft een vrouwenkwestie. Maar het is nu eenmaal nodig voor een huwelijk. De hartstocht van een vrouw moet beteugeld worden, anders loopt zij vroeg of laat weg met een andere man. Ik weet dat u er niet zo over denkt. Maar als Sabaroe anders was geweest, als zij het duidelijk had kunnen maken aan Amase, dan was die hier samen met mij oud geworden. We zouden dan met respect zijn behandeld door de mensen in ons dorp. Ik zou niet uit de kring zijn gestoten zoals nu is gebeurd, ik zou geen vreemdeling zijn geworden voor mijn eigen volk.

Die ochtend van de tweede dag was ik nog een gelukkig mens. Ik wist nog niet dat alles slecht zou aflopen. Ik hoorde de verontwaardiging niet in het gillen van de vrouwen. Ik dacht dat ze vrolijk waren en dat ze Amase wilden bemoedigen. Want soms bloeden de vrouwen heel erg na de ceremonie. Het duurt nooit lang, maar een jong meisje schrikt er soms van.

Tegenwoordig geven we elke vrouw na de plechtigheid een tetanusinjectie. In die tijd was dat nog niet zo. Als de vrouw erg bloedde werd zij de zee in gestuurd. De zee reinigt alles. Net als ik dachten alle andere mannen dat alles in orde was maar Sabaroe trok aan mijn mouw en vertelde dat mijn bruid nog altijd "niet gereed" was. Amase had geschopt en gebeten. De vrouw van de imam liep met een blauw oog. Amase had haar al haar ceremoniële attributen uit handen gerukt. Ze had een steen van het strand geraapt. Daarmee stond ze in het ondiepe water van de baai en bedreigde ieder die naar haar toe kwam. Toen ze nog verder de zee in vluchtte, daar waar de bedrieglijke stroom is, lieten de mensen haar met rust. Maar de imam weigerde het huwelijk in te zegenen. We zijn uit het dorp weggegaan en in Toeal gaan wonen, vlak bij mijn werk. Toen Amase een kind verwachtte, ben ik christen geworden en zijn we gewoon in de kerk getrouwd.'

In en rond Olilit Lama

Na het rusteloos rondtrekken op Kei Kecil en Kei Besar zijn de eerste weken op Tanimbar voor mij een welkome rustpauze. Ik voel me thuis in de lichte kamer met het uitzicht over alang-alangvelden waar alleen hier en daar een geit bij wat dorre struikjes staat te grazen. Ik word hier met rust gelaten. Tijdens de maaltijden zit ik met broeder Smits in het eetzaaltje. Vaak zitten aan de aangrenzende tafels jongens, meest in de tienerleeftijd, studenten van het seminarie. Eenmaal in de week, op zaterdagavond, wordt er 's avonds een bijeenkomst gehouden waarbij broeder Smits naar aanleiding van een actueel voorval in de *agama* een bespreking houdt. Het is te licht en te sober van toon om het een preek te noemen, maar het is wel een levensles. Ik word ook uitgenodigd en ga er graag heen. Ook luister ik met plezier naar alle verhalen die ik te horen krijg over de jongens en hun relatie met de ouders in de omliggende dorpen.

Het lijkt mij dat er één ding is waarin je goed moet zijn als je, zoals broeder Smits, de leiding hebt over jonge mensen van een seminarie op Tanimbar. Je moet goed kunnen vechten tegen de bierkaai en je kunnen neerleggen bij het feit dat je je eigen lot en dat van anderen niet kunt vormen als een stuk klei. Broeder Smits heeft psychologisch inzicht en veel geduld. Hij is ook sterk betrokken bij alles wat hij voor de aan hem toevertrouwde jongens probeert te bereiken. Dat laatste is misschien een conditio sine qua non maar tegelijk is het een punt in zijn nadeel en maakt het de opgaaf onevenredig zwaar. Bij ouders gaat dat ook vaak zo. Onverschillige, op zichzelf gerichte ouders hebben meestal een betere kans zonder blauwe plekken door het proces van de puber-opvoeding heen te komen.

Wat moet je nu bijvoorbeeld aan met Jantje, een jongen die lijdt aan tuberculose, zoals trouwens zeventig procent van de bevolking van Yamdena. Er zijn hier geen röntgenapparaten maar er wordt een sputumonderzoek gedaan en zodra er bij een jongen als Jantje tuberculose wordt geconstateerd, krijgt hij een rustkuur voorgeschreven. Jantje moet gewoon minstens een halfjaar plat. In het begin, als de jongen nog moe is en zich ziek voelt, geeft dat niet al te veel problemen en schikt hij zich in zijn lot. Hij ligt, hij slaapt veel, hij tekent wat terwijl hij op zijn matje zit, hij eet goed, hij komt aan. Zijn spillebenen worden sterker, en meteen wil hij weer rennen, draven, voetballen. Zodra hij zich na een maand, zes weken op zijn hoogst, beter voelt, verklaart hij zichzelf genezen en kan niet meer blijven liggen. Hij is niet meer te houden, staat op en begint extra actief te leven. Het is dan of hij alle voorafgaande weken in één keer wil inhalen.

'Kijk hem nu eens!' zegt broeder Smits ontmoedigd en hij wijst naar Jantje, die op het heetst van de dag langs ons eetkamerraam draaft, druk bezig met een of ander inspannend jongensspel.

'Hij ziet er goed uit,' zeg ik.

'Maar dat blijft niet zo. Over een paar weken ligt hij weer op zijn matje, ziek en doodmoe. Dan kuurt hij weer een paar weken tot hij zich beter voelt. Zodra hij zover is blijkt hij niet meer te houden. Ik heb van alles geprobeerd. Ik heb het hem uitgelegd en hij is intelligent genoeg om het te kunnen begrijpen. Maar het haalt allemaal niets uit. Voor een deel heeft het misschien te maken met hun bijgeloof. Vooral de ouderen zien ziekte nog als een straf die je wordt opgelegd omdat je iets verkeerd hebt gedaan. Of je ouders hebben iets verkeerd gedaan en die worden dan gestraft in hun kinderen. Je moet je neerleggen bij die straf en je niet verzetten, dat vinden ze dom en eigenwijs.'

Broeder Smits vertelt van een vader die bij de geboorte van zijn eerste kind de moeder zag sterven. Hij vervloekte het kind, wilde er niets mee te maken hebben, kwam het ook niet ophalen uit het ziekenhuis, heeft er nooit meer naar omgekeken. Jaren later hertrouwde hij. Zijn tweede vrouw stierf niet bij de bevalling, maar ze bracht een blind meisje ter wereld. De artsen adviseerden de baby te opereren als ze zes maanden oud zou zijn. De vader wilde er niet van horen. Dat het kind blind was geboren zag hij als een straf voor het feit dat hij zijn eerste kind had vervloekt en verwaarloosd. Hij moest zijn straf zonder morren dragen, vond hij. 'Vooral als zo'n kind makkelijk te helpen zou zijn is het moeilijk voor ons dat wij niet door die weerstand van bijgeloof heen kunnen breken,' zegt broeder Smits.

Ik antwoord dat ik me kan voorstellen dat dat soms niet kan, misschien zelfs niet mag. Ik blijf er lang over nadenken. Je kunt zo'n man niet dwingen, of buiten hem om handelen. Er bestaat toch zoiets als zelfbeschikkingsrecht. Dat moet gerespecteerd worden, ook al ben je ervan overtuigd dat je het zelf beter weet. En wie weet is dat wel de reden dat een hogere macht ons de vrije wil heeft toegekend. Ik heb me altijd over die vrije wil verbaasd. Je kunt moeilijk beweren dat er een hoge intelligentiegraad is bijgeleverd om een vrije wil te rechtvaardigen. Het is natuurlijk plezierig dat we een vrije wil hebben, maar zonder die vrije wil zou het ons waarschijnlijk een stuk beter gaan. Aan de andere kant: dan was er ook geen persoonlijke groei mogelijk.

Als een soort eindconclusie van mijn overwegingen zeg ik hardop tegen broeder Smits: 'Met de volgende generatie zal het hier misschien beter gaan.'

Broeder Smits glimlacht daar beleefd om maar ik geloof niet dat het hem bemoedigt.

Tegen de avond is het prettig door de tuinen te dwalen. Het land ligt open naar zee en er staat altijd wel een beetje wind zodat het er zelden te heet is. De jonge aanplant van kool en sesawi wordt beschermd door een gepunt stokje waarop een hoedje is geschoven van de bast van de pisangboom. Er is vogelgefluit dat klinkt als tjoewie tjoewie tjoe, maar niemand kan mij zeggen hoe die vogel heet.

Als je vanaf het huis de tuinen doorloopt kom je bij het internaat en de open keuken, waar loslopende kippen tussen de met zand schoongeschuurde pannen scharrelen en grote potten staan te pruttelen op ouderwetse arangvuurtjes. Dat zal binnenkort veranderen, er komen nu petroleumstellen, vertelt men mij, maar ik ben blij dat ik het allemaal nog zie zoals het nu is: als de keuken van mijn jeugd op Sumatra.

De vrouw van het hoofd van de agama kookt lekker. Ze geeft ons geen vis want gelukkig is broeder Smits allergisch voor vis. Tot ik in Tual tweemaal per dag vis uit eigen vijver kreeg voorgeschoteld, heb ik gedacht dat ik wel van vis hield. Ik realiseer me nu pas dat vis voor mij betekende: haring, gebakken tong, paling op toast, kabeljauw, garnalen, gefileerde makreel en gerookte zalm. Nu weet ik intussen dat vis nog heel wat anders kan zijn en dat ik niet hou van visragout vol graten of van plotseling opduikende gladde, dode vissenogen in een vet sausje.

Het leven is hier aardig comfortabel, afgezien misschien van het badkamertje, waar je met beleid moet zien te baden in een emmer die maar zelden helemaal gevuld is met water. Het is niet moeilijk de losse deur voor de opening te schuiven, een beetje schuin, zodat hij stevig staat. Het gebeurt maar een enkele keer dat het stormt en een rukwind de zware deur opeens naar binnen smakt waar iemand dan net over zijn bad-emmertje staat gebogen of hulpeloos op de hurk-wc zit. Het droge seizoen brengt nu eenmaal zijn voor- en nadelen mee. De droogte begint in april of mei en de regens komen pas terug in november. Op Java is het natte seizoen te prefereren omdat het dan wat koeler is en de geasfalteerde wegen begaanbaar blijven. Hier zijn in de regentijd alle paden, die nu al moeilijk te berijden zijn, opeens totaal onbegaanbaar. In en om de dorpen is het één grote modderpoel.

Ik merk het nauwelijks dat de dagen voorbij vliegen.

De filmploeg is intussen in Ambon geland en wil vandaar naar Tual vliegen. Maar het is al een paar maal gebeurd dat het vliegtuigje op het laatste moment werd gevorderd door de militairen. Die gaan voor. Dat is vervelend voor die ploeg, maar mij kan het niet schelen. Er is hier in de buurt nog veel te zien en van alles te beleven.

Met een prauw ga ik naar de andere kant van de baai, naar Bomaki waar het drinkwater van Saumlaki vandaan komt. Er is op dit ogenblik nog geen waterleiding in Saumlaki en iedereen haalt zijn water dagelijks bij de dorpskraan. Maar binnenkort is die waterleiding er wel en hoef je ook in Saumlaki de kraan van de wastafel maar open te draaien. Je moet wel weten waar de prauwen naar Bomaki afvaren. Ergens in de buurt van de pasar begint een voetpad dat achter wat huizen langs loopt naar het water. Met hoogtij, om één uur 's middags bijvoorbeeld, kun je de oversteek maken. Ook kun je met de plaatselijke *microlets* naar Kabjarat of Ilgnei. Soms loop ik gewoon over de pasar en luister naar een Tanimbarese dichter die zijn eigen verzen schrijft en die voordraagt tegen een geringe vergoeding. Als je geen roepia's te missen hebt is een kop koffie ook goed, of anders een sigaret of een plukje tabak.

Af en toe drink ik thee in de *pastoran* en ontmoet er pastoor Anton Geelen, die net terug is van een verblijf in het noorden van Yamdena, waar hij zijn uitgestrekte parochie heeft. In het regenseizoen moet hij te voet door de modder baggeren om van het ene dorp naar het andere te komen. Het leven daarginds is primitiever dan in Saumlaki en naaste omgeving. Nog steeds voeren de dorpen onderling oorlog met pijl en boog en speer. Hij heeft het net meegemaakt. De politie grijpt in, de dorpsbewoners worden terdege afgerammeld, de lijken en gewonden worden per boot naar Larat gevoerd. Die boottocht kan uren duren, het is zaak niet al te zwaar gewond te raken als je de strijd wilt overleven. Koppensnellen is er niet meer bij, maar de oude agressieve instelling blijkt in het onderbewustzijn van de mensen nog te leven. De ruzies gaan meestal over het bezit van land, maar de aanleiding kan ook een oude familievete zijn, of een persoonlijke belediging, of zelfs een aanvankelijk vriendschappelijk opgezet partijtje voetbal tussen de dorpen. De speer is als wapen nog altijd in gebruik. Een man kan rondlopen met een kapmes, maar zijn speer staat altijd achter de deur. Dat zag ik zelfs in de hutten rondom Saumlaki. Hij staat gebruiksklaar, hij wordt bij de hand gehouden voor het geval een wild zwijn in de tuin komt wroeten en soms is niet een wild zwijn maar een buurman het slachtoffer. In de verhalen die de mensen vertellen speelt de speer vaak een rol. Hij is van de goden afkomstig en symboliseert de levenskracht, de goddelijke vonk, de adem die de schepper de mens in de neusgaten blies.

In de Koli koli-bar ontmoet ik Ronald Alfret Fordatkosu. Hij is jong en voorziet in zijn onderhoud door onder andere cursussen Engels te geven. Voor zijn leerlingen heeft hij een verkorte versie gemaakt van *My Fair Lady* en ter illustratie draagt hij daaruit gedeelten voor. Om beurten is hij Eliza en Pickering. Eerst zingt hij met een hoge vrouwenstem: 'The rain in Spain falls mainly in the plain.' Dan is hij Pickering: 'She got it! She got it!' Ten slotte verandert hij weer in Eliza en zingt met wraakzuchtig half dichtgeknepen ogen: 'Just you wait, Henry Higgins! Just you wait!' Ik kan zijn veelzijdigheid wel waarderen. Niet iedereen zou zo vol overgave Eliza kunnen spelen tegen een achtergrond van luidruchtige biljartzalen die bij de Koli koli-bar horen en het geklots van de zee die bij laag tij behoorlijk stinkt.

Ik maak een afspraak met hem, in de Harapan Indah, voor de volgende ochtend, acht uur. De bedoeling is een eind te gaan varen langs de kust met een gehuurde prauw. Het is alweer eb en ik moet tot mijn knieën door grauwe modder waden voordat ik in het bootje kan stappen. We peddelen door ondiep water en varen langs mangrovebossen die beschermd zijn omdat daar kreeften leven. Om ons heen wordt gevist op tonijn en garnalen. Je kunt die vis bijna met de hand vangen. Hier en daar springt een stekelrog uit het water.

Dit is de mooiste manier om een eiland te bekijken. Je ziet verscholen huizen, diep over het water gebogen bomen en vrouwen die soms tot hun middel in zee staan. Van ver zie je alleen een rij grote manden die op het water lijken te drijven. De vrouwen houden de manden op hoofd, rug of schouders. Hun haren zijn sluik en nat, alsof ze af en toe onder water duiken. Misschien vissen ze ook op tripang, die altijd een paar meter onder water is te vinden. De desa Sifnane ligt met zijn houten huizen op palen een eind in zee. We gaan er aan land en sturen het jongetje dat ons de prauw verhuurde terug met een flinke fooi. Sifnane is een mooi en rustig dorp.

We vinden er zelfs een microlet waarmee we terugrijden naar Saumlaki.

Als ik na een mierzoete koffie met gecondenseerde melk en een schotel bami in de Koli koli-bar afscheid wil nemen van Alfret, blijft hij treuzelen op de manier die me doet denken aan een hotelbediende die op een fooi wacht. Ik vraag hem maar op de man af of hij zich behalve als inwoner van Saumlaki die een bezoeker wat van zijn dorp wil laten zien – zo heeft hij zich aangediend – ook beschouwt als een gids die voor zijn diensten betaald moet worden en hoeveel dan wel. 'Nou,' zegt hij, charmant glimlachend, 'alles is goed, wat mevrouw maar wil!'

'Maar als ik iets geef, is het vaak niet genoeg,' zeg ik. 'Dus waarom noem je geen prijs?'

Hij kan daar niet toe komen. Hij zou zich schamen. Het is hem een genoegen geweest! Ik geef hem een biljet van tienduizend roepia. Hij wil er nog graag tienduizend bij hebben, zegt hij meteen. Die geef ik hem en we scheiden als vrienden.

De volgende dag wordt het evenwicht al hersteld doordat de missie mij een dagje het gebruik van hun auto aanbiedt. De chauffeur wordt erbij geleverd, maar die is echt tevreden met wat ik hem geef. We gaan het binnenland in, naar de dorpen Tumbur en Lurulun waar ik een *susteran* kan bezoeken, een soort kloostergemeenschap van katholieke zusters.

Het wordt een fantastische tocht. Tumbur is het plaatsje waar het meeste Tanimbarese houtsnijwerk vandaan komt. We rijden door een landschap dat me overweldigt. Drie tot vier meter hoge sagopalmen, breed en vol, staan in een net iets anders getint groen tegen de vijftien of twintig meter hoge klapperbomen. Daartussen pisangbomen, veel gele alamanda en oranje lontana. Grote vlakken kantachtige blauwe winde liggen over de lagere struiken heen. De weg gaat omhoog en omlaag, weer omhoog. Vanaf een top hebben we af en toe uitzicht op zee of op een lager gelegen dorp. De daken van de hutten zijn gelig bruin van kleur en gaan bijna ongemerkt over in het groenbruin van het omringende geboomte.

De jonge seminarist Ferry is met mij mee gereden. Zijn moeder woont in Tumbur. De witte missiewagen wordt op een pleintje geparkeerd en we lopen het stille dorp door. Geen huizen op palen maar wel veel hout en sagopalmdaken. Schone weggetjes zonder enig verkeer. Overal tuinen vol bougainvillea, hibiscus en pukul ampat.

De moeder van Ferry ontvangt ons wat verlegen. Ik maak een foto van haar in haar keurig opgeruimde zitkamer. Nu ja, eigenlijk is het bij haar meer leeg dan opgeruimd. Maar de aarden vloer is aangeveegd. Ik voel me wat gegeneerd dat ik zomaar kom binnenlopen en ik kan ook niet ontdekken hoe nu eigenlijk de relatie is tussen moeder en zoon. Ze behandelen elkaar beleefd als neutrale vreemden.

Hier en daar zitten houtsnijders in hun tuin te werken maar ik ga naar binnen in een volgestouwde 'studio' waar de houtsnijders Damianus Masele en zijn collega Bavo Neanere aan het werk zijn. Ik koop er een paar ongeveer dertig centimeter hoge vooroudeerbeeldjes. Ze zien er licht en breekbaar uit als geesten van wat zij eens zijn geweest. Ze hebben uitgeveegde gezichten waarin alleen ogen staan die meer weten dan zij vroeger ooit zagen.

Om naar het dorp Lurulun te komen, draaien we vanaf de 'grote weg' een zandpad op, steil, rotsachtig en vol gaten. We rijden hier door de uitlopers van het gebergte in het binnenland en door secundair oerwoud. Dat betekent dat het woud wel oeroud is, maar geen wildernis. Het is meer een lieflijk bos met hoge palmen en bamboe. Tussen het groen zit het wel vol met gifslangen, wilde karbouwen en tropische vogels, maar er zijn geen apen, geen grote roofdieren zoals panters en tijgers.

In deze buurt moeten de twee ornithologen hebben gezeten die hier maandenlang hebben gewoond om te zoeken naar een nog niet geregistreerde vogelsoort die hun naam zou kunnen krijgen. Mocht het allemaal meevallen na de dood en mochten we nog eens voor een bepaald leven mogen kiezen, dan wil ik hier nu vast een plaatsje reserveren voor mijzelf als ornitholoog in een Indonesisch oerwoud, secundair of primair, dat geeft niet. Een plekje zoals dit hier, dat is het helemaal.

We rijden heuvels op, heuvels af, blijven vaak steken. Net als ik denk dat dit eigenlijk helemaal geen weg is die bestemd lijkt voor een missie-auto, duiken we omhoog vanuit een dal en zien vanaf de top in de diepte het strand liggen en het dorp Lurulun. Dit te kunnen zien is alleen al de moeite van zo'n tocht waard.

De Indonesische zusters zijn een beetje verbouwereerd als ze mij zien verschijnen, maar daarom niet minder gastvrij. Ik voel me uitgedroogd en drink na elkaar drie grote glazen heerlijke en ijskoude ayer djeroek. Het is een gebrek aan goede manieren, maar ik kan mezelf niet inhouden. De zusters glimlachen meelevend om dit menselijk falen en zetten discreet een grote thermosfles met die nectar voor me klaar. Op de terugtocht zal ik tenminste te drinken hebben. Er is hier geen enkele Nederlandse zuster meer, al zijn ze hier wel degelijk geweest. Er hangen nog foto's in de ontvangstzaal die ervan getuigen. Zuster Maria komt uit Tomohon en ja hoor, ze kent dr. Barten, die daar werkte toen ik door Sulawesi reisde voor mijn boek *Eilanden van vroeger*. Ze was Nederlandse en arts en stond aan het hoofd van een katholiek ziekenhuis waar ik onvergetelijke puree at. Na maanden van rijst was dat een godenspijs. Dr. Barten is *warna negara* geworden. Ze heeft nu dus de Indonesische nationaliteit. Een goede beslissing. Ze is en was daar volkomen op haar plaats. In Nederland zou ze misschien niet meer hebben kunnen aarden.

Ik eet met de zusters mee. Het is wel leuk om even in zo'n vrouwenhuishouden te zijn na het mannenhuishouden van Das Fendrewe waarin ik de laatste weken heb geleefd.

Iedereen spreekt ook goed Bahasa Indonesia. De talen van Yamdena en Fordata zijn voor mij niet te begrijpen. De verhalen over het leven in Lurulun zijn boeiend en ik ga nog even mee met zuster Maria, die mij het hospitaaltje laat zien waar behalve malaria- en tuberculosepatiënten ook aardig wat slachtoffers van cholera liggen. Die ziekte is nauwelijks te vermijden in het droge seizoen wanneer haast nergens schoon drinkwater te krijgen is.

'Kunt u niet een tijdje komen logeren?' vragen de zusters. Ze kunnen me dan ook de omgeving laten zien. 'Graag,' zeg ik meteen, 'ik kom als ik kan.'

Maar of het kan is de vraag. Op de terugweg gaat het steeds slechter met de missie-auto. Vanaf het strand moet de auto het gebergte in. De wagen haalt dat niet en moet omhoog worden geduwd. We lopen allemaal tegen de berg op. Het is drie uur in de middag en heet. Toch merk ik dat nauwelijks. Het is een stukje eiland dat je hart raakt. Dit is waarvoor ik zo ver reisde, waarvoor ik naar Tanimbar kwam.

Bij thuiskomst op Das Fendrewe hoor ik dat de Javaanse filmploeg nu spoedig wordt verwacht en zo snel mogelijk zal willen vertrekken naar het binnenland.

We zullen eerst met auto's naar Ingnei worden vervoerd

en vandaar zal de missieboot ons langs de oostkust van Yamdena naar het noorden varen tot Meyendo Bab.

Natuurlijk is er geen sprake van dat Nyong mee kan reizen. Ik mag al blij zijn als niemand van de ploeg een geldige reden weet te vinden om mijn gezelschap te boycotten. Want ik heb hun niets te bieden. Het is pure liefdadigheid als ze bereid zijn mij op sleeptouw te nemen.

In de avonduren zit ik met Nyong koffie te drinken op het houten vlonderterras aan zee dat bij hotel Harapan Indah hoort. Zijn vriend Sairvoetoe is mij komen halen nadat hij een paar klanten had afgezet in het dorp Olilit Lama. Hij brengt mij naar Harapan Indah, waar Nyong aan een tafeltje een kreteksigaret zit te roken. Sairvoetoe laat ons alleen, hij heeft nog een vrachtje, zegt hij. Het is duidelijk dat Nyong en ik 'eens moeten praten'.

'Morgen of overmorgen ga ik met de filmploeg naar het binnenland,' zeg ik, 'wat ga jij doen, Nyong?'

Hij blijft even zwijgen en ik vraag me af waarom ik me eigenlijk zo schuldig voel. Ik heb hem toch in het begin al gezegd dat ik hem niet nodig zou hebben als gids en hij heeft gezegd dat hij zich wel zou redden.

Maar als ik mezelf even wakker schud, weet ik best waarom ik me schuldig voel en ontevreden over mezelf.

Het verhaal van Nyong is nog niet helemaal verteld. Dat moet ik toch voor elkaar kunnen brengen in een of twee zittingen? Eigenlijk heb ik nog zeeën van tijd. Morgen ga ik beslist nog niet weg. Misschien duurt het zelfs nog twee of drie dagen voor de filmploeg hier alles heeft georganiseerd. Toch besef ik dat het voor mij niet alleen gaat om de tijd die ik nodig heb om me te concentreren op de problemen van Nyong en om te luisteren naar zijn verhaal. Ik moet mezelf nu maar eens rekenschap geven van het feit dat het verhaal over Amase van alles in me losmaakt. Soms heb ik het gevoel dat hij mij iets vertelt over mijn eigen leven. Terwijl het leven van Amase helemaal mijn soort leven niet is. Ik heb niet in een Japans kamp gezeten. Ik ben niet als kwetsbaar jong meisje verliefd geworden op een man van een land waarin ik, juist op dat moment, niet langer welkom was. Ik heb niet geweigerd om als oude vrouw terug te keren naar een geliefde.

Amase en ik zijn niet te vergelijken. Toch ben ik vaak zo geraakt door de dingen die haar, in de verhalen van Nyong, overkomen, dat het wel degelijk mijn eigen hart is dat bonst, míjn hoofd dat pijnlijk aanvoelt, alsof een stalen band de hersens samenperst, en míjn lichaam dat wil vluchten.

Ik kan me er niet langer vanaf maken. Ik moet die vrouw maar eens opzoeken in Nederland. Dan zie ik waarschijnlijk een mens voor me die me totaal vreemd is. Dan zal die toverband met haar meteen zijn verbroken.

'Nyong,' zeg ik haastig, 'als ik terug ben in Nederland, ga ik Amase voor je opzoeken. Ik weet nog niet waarom zij wegliep, maar misschien kunnen we erover praten. Dan zal ik alles beter kunnen begrijpen. Ik zal haar over jou vertellen en haar een boodschap van je overbrengen. Ik zal haar vragen naar jou terug te gaan, al is het maar voor een kort bezoek, zodat zij ook Frederik en haar kleinkinderen kan zien.'

Nyong schudt bedachtzaam zijn hoofd en blaast de rook van zijn sigaret naar zee. De wind blaast de kruidnagelgeur terug in ons gezicht. Dat hoofdschudden kan ook een gebaar van verrassing zijn, ik weet het niet met zekerheid te duiden.

Alsof hij mijn plotselinge uitbarsting over Amase niet heeft gehoord, geeft hij nu antwoord op de vraag die ik hem een minuut geleden stelde: 'Ik ga gewoon naar mijn neef in Larat, Ibu, en als u terugkomt in Tual, zal ik u met Arif ophalen van de boot. '

'Maar Amase...' hou ik vol. Zelf schrik ik een beetje van de opwinding in mijn stem. Waarom lijkt wat pas over een paar maanden kan gebeuren zoveel belangrijker dan wat zal plaatsvinden over een paar dagen of weken?

'Amase,' zegt Nyong terwijl hij zijn sigaret driftig in het water gooit, 'over haar moet ik eerst nog veel vertellen. Maar omdat u zich zorgen maakt, zeg ik vast dit: ik heb haar gevonden, ik krijg geregeld brieven van haar en ze zal zeker komen, al weet ik niet wanneer.'

Sairvoetoe komt over het donkere plankier van het buitenterras naar ons toe lopen en zegt zacht, alsof hij ons niet wil storen: 'Madam, het busje staat klaar. Ik breng u naar Das Fendrewe.' Het is meer een onweerlegbare aankondiging dan een aanbod.

'Heb je morgen tijd?' vraag ik Nyong. Hij knikt.

'Morgenochtend vroeg in de Koli koli-bar?' Hij knikt weer.

Als ik door het donker met Sairvoetoe over de heuvelachtige slingerweg die ik nu zo goed ken naar Olilit Lama rijd, vraag ik mij af waarom ik mij zo verward voel. Alles is toch in orde? Nyong heeft mij nooit rechtstreeks gevraagd om Amase voor hem te vinden. Dat heb ik mij maar ingebeeld. Dan is er toch ook geen reden om over Amase te blijven nadenken? Het is nooit mijn probleem geweest. Ik ken haar niet en zal haar waarschijnlijk nooit ontmoeten. Waarom heb ik dan het gevoel dat ik iets heb verloren dat ik nog maar nauwelijks had ontvangen?

De kracht van Sabaroe

Het klaksen en kleksen van de witte biljartballen die over het groene laken worden gestoten, dringt door tot de Koli koli-bar, waar Nyong en ik aan een tafeltje zitten, elk met een blikje Sprite. Vanaf de straat is de bar niet te zien. Er is ook geen uithangbord met een naam. Je moet door de biljartzalen, waar verschillende speeltafels staan, lopen om in het kleine restaurant aan zee te komen. Altijd zitten er wel wat mensen te eten of te drinken, maar vol is het er nooit. Eerder maakt het een stille indruk. Misschien komt dat door de tegenstelling met het lawaai in de biljartzalen.

'Vertel me over Amase, Nyong,' zeg ik als hij blijft zwijgen. Nyong aarzelt, drinkt wat, veegt zijn mond af.

'Het verhaal gaat eigenlijk meer over Sabaroe,' zegt hij ten slotte. 'Ik moet vertellen over Sabaroe. Om het zelf te kunnen begrijpen. We vormden een driemanschap en zij speelde een grote rol in ons leven.'

Kennelijk weet hij niet hoe hij verder moet gaan, want er valt weer een stilte waarin ik de barkeeper mompelend berekeningen hoor maken: 'Seratus lima puluh tiga.'

'Jullie gingen dus in Toeal wonen,' zeg ik ongeduldig. 'Kon dat zomaar in die tijd? Er stonden toch zeker geen woningen leeg, neem ik aan.'

'Nee. Ik sliep zelf altijd in de loods op de werf. Met vrienden en familie had ik een klein huisje gebouwd. Twee kamertjes en een open veranda waar kon worden gekookt.

Hout uit het bos. Spijkers en gereedschap van de werf. We bouwden in onze vrije tijd, op ons gemak, we deden er jaren over. Af en toe werkte ik bij anderen aan een nieuw huis. Daar was meer haast mee als de mensen snel wilden trouwen. Maar ik had toen alleen vage plannen. Het maakte me niets uit dat het werk aan mijn huis soms maanden stillag door de oorlogssituatie. Ik had toch nog lang niet de bruidsschat bij elkaar die de familie vroeg voor Sabaroe.'

'Het huisje was eigenlijk bestemd voor jou en Sabaroe?'

'Natuurlijk. Sabaroe richtte de keuken in. Op haar gemak. Het was meer een spel voor haar. Ze was nog minder aan een huwelijk toe dan ik.'

'Was dat nu echt zo? Of wil je dat alleen maar liever geloven? Ik kan me niet voorstellen dat Sabaroe zo'n heilige is dat ze jaren werkte aan haar toekomstige huis, maar dat het haar koud liet toen jij opeens van gedachten veranderde en er met een andere vrouw wilde intrekken. Een vreemde nog wel die niets wist van jullie adat en die tot het volk van de bezetters behoorde waartegen ze toen net in opstand kwamen. Iemand die nieuw was op het eiland.'

'Zoals Ibu,' zegt Nyong. Hij zegt het zo zacht dat ik hem maar nauwelijks kan verstaan, maar ik voel het als een terechtwijzing en zeg meteen heftig: 'Ja, zoals ik. En ik zie mijzelf niet zoiets doen. In mijn eentje met mijn minnaar in een primitief huisje gaan wonen dat eigenlijk voor een andere vrouw is gebouwd. Tussen vreemden. En na een kampperiode nota bene. Wat je dan wilt is: gauw naar huis, naar de boerenkool met worst en buren op de koffie om te praten over wissewasjes die je vertrouwd zijn. Nu ik erover nadenk: het bestaat eigenlijk niet dat Amase zoiets deed. Verzin je het allemaal?'

'Zij was heel jong,' zegt Nyong. Hij spreekt nog steeds zacht, of we het over geheimen hebben. 'Ze was jong en had jaren achter prikkeldraad gezeten. Ze at rupsen en slakken. Ze droeg verschoten en verstelde jurkjes. Ze had niet geleefd als een *nyonya besar*.'

'En ik heb wel geleefd als een nyonya besar?'

Nyong kijkt oprecht verbaasd op. 'Dat bent u toch? Een grote mevrouw met geld. U bent niet bang om alleen te reizen. Het lijkt of u alleen bent, maar u hebt *proteksi*, dat is zeker. U bent niet bang om arm te worden, om alleen achter te blijven. Met Amase was dat anders. Ze was al haar familie kwijt, ze klampte zich aan mij vast. Door de leefwijze in het kamp was ze dicht bij mij komen te staan, bij mij en Sabaroe. Ze was nauw bevriend geraakt met Sabaroe. Mijn familie en vrienden zouden misschien niet zo makkelijk zijn geweest in normale omstandigheden. Maar de Japanners trokken weg. Er was een revolutie in het land. Die dingen namen ieders aandacht in beslag. Ons persoonlijk leven werd nauwelijks opgemerkt. Wat vroeger onmogelijk was geweest, gebeurde nu: Amase en Sabaroe waren als zusters.'

'Maar Sabaroe was toch geen heilige,' herhaal ik. 'Ze kan wel bevriend zijn geweest met Amase maar tegelijk kan ze ook best jaloers op haar zijn geweest.'

'Ze was niet jaloers. Ze was opgelucht,' zegt Nyong en zijn stem is nu iets luider.

'Ze was opgelucht?'

'Ja, ze was opgelucht. Want Sabaroe wilde niet worden aangeraakt door mannenhanden. Ze wilde eigenlijk ook niet trouwen. Toch wilde ze graag kinderen hebben. Daarom had ze in een huwelijk toegestemd. Ze wist dat ze de intimiteit niet altijd zou kunnen ontlopen als ze een baby wilde krijgen. Maar voor haar was het meer dulden, ondergaan. Ze hield er niet van geliefkoosd te worden door een minnaar. Een beetje knuffelen, dat was meer dan genoeg. Veel vrouwen zijn zo, geloof ik. Veel vrouwen willen niet meer dan een arm om hen heen, een aai over hun haar. Als dat voldoende was om een kind te krijgen, zouden ze het daarbij laten, denkt u ook niet?' Nyong kijkt me vragend aan.

'Ik zou het niet weten,' zeg ik, 'maar mij klinkt het erg vreemd in de oren, hoor! Je zou me toch gewoon een verhaal vertellen?'

Nyong gaat wat rechterop zitten en keert zich ook een beetje af, alsof hij afstand van me neemt. Zijn gezicht staat opeens vlakker.

'Sabaroe vond het belangrijker dat ze een vriendin had gevonden. Dat was belangrijker voor haar dan het verlies van een toekomstige echtgenoot. Vaak zaten ze met de armen om elkaar heen geslagen te praten en te lachen. Dan dacht ik weleens dat ze het over mij hadden. Het leek soms of ik twee vrouwen had in plaats van één. Amase was mijn keuzevrouw en Sabaroe was het meisje van mijn jeugd. Ze had grote ogen. Ze keek je recht aan en dan zei ze iets. Niet op dwingende toon. Iets heel eenvoudigs als: "Jij vindt dit niet prettig. Dit doe jij nooit weer." En dan wist je dat ze gelijk had en je handelde ernaar. Dat was haar kracht.'

'Een dominante vrouw?' opper ik.

'Nee, zij hield zich altijd op de achtergrond. Zij bepaalde niet wat wij moesten doen of laten. Ze stelde geen regels op. Ze maakte zich integendeel bijna onzichtbaar. Ze was stil en bewoog zich geluidloos. Ze praatte ook niet veel als we met z'n drieën waren. Dan hield ze zich afzijdig. Alleen met Amase leek ze heel anders, dan gedroeg ze zich vrijer. Ik weet niet waardoor dat kwam, ik heb hen nooit afgeluisterd.'

'Woonden jullie met z'n drieën in die door jou en je vrienden gebouwde woning?'

'Ik bracht Amase daarnaar toe na die ongelukkig verlopen

ceremonie. Ze maakte het huis bewoonbaar, samen met Sabaroe. Ze wist niet hoe je een huishouden moest voeren zoals ik dat gewend was. Sabaroe kwam haar te hulp. Ze ging met Sabaroe naar de beek om kleren te wassen. Ze liepen samen naar de dorpskraan om emmers water te halen. Amase zat met Sabaroe op de veranda en leerde een vuurtje te maken, vis te bakken, santen te maken. Ze ging met Sabaroe naar het bos en leerde hoe je daar allerlei dingen kon vinden die op de pasar nog niet eens te koop waren. Eigenlijk was het meer het huisje van Amase en Sabaroe dan van mij en Amase. Vooral toen Sabaroe daar ook de nachten doorbracht. Ik sliep vaak in de loods, dat was ik gewend. Daar was ik vrij en het was er rustig. In de nacht kwam niemand naar de werf toe. Behalve Amase. Ze kwam vaak naar mij toe en ten slotte werd ze zwanger. We zijn toen in de kerk getrouwd en ik ben christen geworden. De islamitische gemeenschap stond daar vijandig tegenover. Amase werd soms bedreigd en ze kreeg het idee dat haar kind misschien op den duur gevaar zou lopen. Zelf geloof ik dat van een echte bedreiging van ons kind nooit sprake is geweest. Maar Amase was nerveus in die tijd. Ik kon het niet uit haar hoofd praten. In die dagen was ik altijd bang dat zij weg zou lopen en Sabaroe was daar ook bang voor. Ik ben er zeker van dat het idee van haar was.'

'Welk idee?'

'Het plan om te doen of zij, Sabaroe, degene was die zwanger werd in plaats van Amase. Er was een neef van mij uit Larat gekomen. Hij logeerde een paar dagen bij ons. Zodra hij was vertrokken begon Sabaroe veel over hem te praten, ze hemelde hem op, deed of ze gek op hem was. Ik geloof niet dat ze echt iets om hem gaf. Het was een spel voor haar. Ze is altijd een kind gebleven. Ze is altijd blijven spelen.'

'Ze was ongetrouwd en deed toch alsof ze een kind verwachtte?'

'Ze deed alsof dat zo was, maar ze zei het natuurlijk niet met zoveel woorden. Toch had ze het altijd over hem, deed alsof er een geheime afspraak tussen hen was, of ze hem elk ogenblik terug verwachtte. Er werd over gepraat natuurlijk. Mijn neef heeft het zich erg aangetrokken. Hij heeft mij geschreven en gezworen dat hij haar nooit had aangeraakt, dat hij nauwelijks naar haar had gekeken. Maar Sabaroe legde elke maand een extra doek om haar heupen zodat ze dikker leek te worden. Ook gaf ze eenmaal in de maand haar ondergoed aan Amase om te wassen bij de beek. In het bijzijn van alle andere vrouwen.'

'Eénmaal in de maand? O, bedoel je dát?'

'Ja, daar ging het haar om. Amase zelf had niets om maandelijks te wassen. Als ze haar middel insnoerde en haar sarong strak aantrok en eenmaal in de maand het ondergoed van Sabaroe waste bij de beek, dan kon niemand denken dat zij een kind verwachtte. Ze is ook altijd erg mager gebleven na het kamp. Zelfs ik heb haar figuur nauwelijks zien veranderen.'

'Dat is mogelijk. Maar een bevalling kun je niet geheimhouden in een kleine gemeenschap.'

'Daarom gingen ze de laatste twee maanden naar de familie van mijn neef in Larat. Het kind werd daar geboren en toen ze terugkwamen lag mijn zoon in de armen van Sabaroe.'

'Maar iedereen kon toch zeker zien dat hij de zoon was van Amase?'

'Nee, dat kon je niet zien. Het kind leek op mij. Hij had een gebruinde huid, zwart haar, donkere ogen. Amase wilde hem Frederik noemen, naar haar in het kamp gestorven vader. Daarom heb ik hem altijd Frederik genoemd. Maar Sabaroe noemde hem Boeti en alle dorpelingen noemden hem ook zo. Niemand wilde in hem de zoon van Amase zien.

Mijn zoon was een kind van het dorp, hij hoorde bij ons volk, ze zagen Sabaroe als de moeder. Als ze al twijfelden, dan lieten ze dat niet merken. Een broer van Sabaroe is naar Larat gegaan om de huwelijksvoorwaarden te bespreken. Maar toen hij daar aankwam was mijn neef op reis en zolang Sabaroes broer daar was, is hij niet teruggekomen. De familie heeft hem goed ontvangen, maar ze hebben hem niets verteld over de bevalling. Dat denk ik tenminste. Toen de broer terugkeerde werd er niet meer over de zaak gepraat. En Sabaroe keek naar mij met die ogen van haar en zei: "Boeti is je familielid. Hij is geboren in Larat." Bijna geloofde ik zelf ook dat hij haar zoon was. Dat was de kracht van Sabaroe.'

'En Boeti werd het storende element in jullie vroeger zo gelukkige driemanschap?'

Nyong zucht. 'Dat is zo. Maandenlang zijn we gelukkig geweest, wij alle drie. Er was zelden onenigheid. We hebben gewerkt en gelachen. Wat kun je meer verlangen?'

'Wilde Sabaroe het kind niet meer opgeven? Ging ze geloven dat het haar eigen kind was?'

'Nee, dat denk ik niet. Sabaroe was eigenlijk heel slim. Misschien zat er hier en daar een gat in haar geheugen. Ze herinnerde zich dingen niet die ze liever wilde vergeten. Maar ze was niet gek. Ze wist wat ze wilde. Ze wilde Boeti bij zich houden. Ze wilde dat hij haar zag als zijn moeder, maar al die tijd besefte ze heel goed dat Amase hem ter wereld had gebracht. Het was voor haar niet moeilijk om te krijgen wat ze wilde. Ze zag er altijd lief en vriendelijk uit. Iedereen hield van haar, niemand kon haar iets kwalijk nemen of misgunnen. Ze keek Amase aan met lieve, warme ogen en zei: "Je wilt je broer gaan zoeken. Je hebt je familie nodig. Je broer is alles wat je hebt. Je zult hem zeker vinden."

Amase was dol op Frederik. In het begin sliep hij 's nachts

tussen ons in en overdag nam Amase hem overal mee naar toe. Naar mijn maïsveldje waar ze werkte, naar de beek waar ze waste. Dan kwam Sabaroe aanlopen, naar het veld of bij de beek. Ze omhelsde Amase en keek haar recht in de ogen. "Boeti is lief," zei ze, "maar je wilt dat ik hem nu meeneem naar huis. Hij moet slapen. Hij moet eten. Hij moet gewassen worden. Hij moet luchtiger worden gekleed. Hij moet iets warmers aantrekken."

Als Sabaroe zoiets tegen je zei en je in de ogen keek, dan wist je dat ze gelijk had en je zei: "Ja, hij is lief maar hij moet nu slapen, hij moet nu eten, hij moet nu gewassen worden, hij heeft andere kleding nodig." Je liet hem gaan, al was het met een verdrietig hart. Tegen ieder ander zou je nee hebben gezegd, maar Sabaroe kon je niets weigeren. Vooral omdat ze nooit iets voor zichzelf vroeg maar alles aan anderen gaf.

Amase begon haar werk op het veld te verwaarlozen. Soms waste ze wekenlang geen kleren bij de beek. Ze bleef liggen op haar slaapmat en keek naar Sabaroe, die met Frederik speelde, die hem te eten en te drinken gaf en zijn snel groeiende lijfje waste. Sabaroe zei tegen haar: "Je wordt ziek van verlangen naar je broer. Je wilt hem gaan zoeken. Als je hem vindt breng je hem hier. Dan is alles in orde."

Op een dag kwam ik thuis van de werf en Amase was verdwenen. Ze had zelfs geen briefje achtergelaten voor mij. Ik zag dat Frederik goed verzorgd was bij Sabaroe. En dat hij Amase niet miste. Mij zou hij ook niet missen. De volgende dag nam ik een boot naar Ambon, ik liet geen briefje achter voor Sabaroe. Als je bij haar weg was, leek ze haar kracht te verliezen. Ik dacht: laat ze maar in de spiegel kijken en tegen zichzelf zeggen: Nyong en Amase houden van me. Ze komen terug. Maar ik wist dat ze tegen haar eigen ogen zei: die twee komen niet en nooit terug.

In Ambon was ik niet lang. Ik merkte dat Amase vrijwel

meteen was doorgereisd naar Soerabaja en dat deed ik ook.

Bij het Rode Kruis hoorde ik dus dat ze daar was geweest maar alweer was vertrokken. Later hoorde ik op hetzelfde adres dat ze haar hadden moeten vertellen dat haar broer het kamp op Celebes niet had overleefd. Wat heeft ze toen gedaan? Ze is misschien naar Batavia gegaan. Heeft ze daar een boot genomen naar Nederland? Als ik voldoende geld had gehad, zou ik haar meteen achterna zijn gereisd en we zouden alles hebben besproken zonder dat de ogen van Sabaroe naar ons keken.

Maar mijn geld was op, ik moest werk zoeken. Dat bleek onverwacht makkelijk te vinden in Soerabaja, in die tijd.

Het was eind 1946. In mei van dat jaar had de Nederlandse A-divisie, een mariniersbrigade met onderdelen van de KNIL, de bewaking van het ernstig beschadigde Soerabaja overgenomen van de Fifth Indian Division en generaal-majoor Mansergh was vanuit Soerabaja teruggekeerd naar Engeland. Het was een tijd van chaos, de soevereiniteitsoverdracht zou nog tot eind '48 op zich laten wachten.

Maar voor iemand met initiatief waren er baantjes te over. Op elk gebied was er een tekort aan mankracht. Voor het eerst merkte ik dat ik het in me had om mezelf naar de top toe te werken. Misschien doordat werk alles werd wat er nog te doen viel. Al het andere was mij afgenomen.

Ik verdiende veel geld. Misschien zou ik op den duur ook wel weer gelukkig geworden zijn. Maar na een paar jaar ontving ik bericht uit Toeal dat Sabaroe was gestorven aan een verwaarloosde bloedvergiftiging. Zonder enige aarzeling heb ik toen meteen de boot terug genomen en ben naar mijn zoon gegaan. Misschien had ik dat beter niet kunnen doen.

De bebeen asbingar in Meyendo Bab

De oostkust van Yamdena is het dichtst bevolkte deel van de Tanimbararchipel. Toch zie je als je langs die kust vaart uitsluitend dichtbeboste hellingen. Alleen als je goed kijkt ontdek je hier en daar trappen van rotsblokken die vanaf het strand omhooglopen tot aan de top van een heuvel waar soms het dak van een dorpshut door het gebladerte schemert.

Menselijk leven is op die smalle stranden vrijwel niet te zien. Af en toe verschijnt een prauw of vissersbootje in het zicht, maar veel verkeer is er niet op het water

Dit deel van Tanimbar lijkt een ongerept en moeilijk te betreden land, met in het midden bergen, bedekt met onbegaanbaar oerwoud.

Toch hebben, lang geleden, Nederlandse oorlogsschepen voor deze kust gelegen die de dorpen met hun kanonnen bestookten. Zoiets was onbekend in deze streken. Het bracht een snelle overwinning. Pas toen kon een begin worden gemaakt met de handel, het kannibalisme kon worden verboden, missie en zending konden hun kans krijgen.

Onze witte missieboot is een vrachtscheepje, waarvan het laadruim is gesloten en bedekt met een zeil waarop we met opgetrokken benen naast elkaar zitten. Ik heb niet gerekend op zo'n langdurige vaart en heb de tocht onvoldoende voorbereid. Nu moet ik wel een boterham aannemen van pastoor Geelen, die terugkeert naar zijn parochie en die mij verhalen vertelt over zijn leven in deze streek. Hij zit hier al bijna elf jaar en heeft als werkterrein een gebied met dertien dorpen, waarvan de meest noordelijke en de meest zuidelijke zestig kilometer uit elkaar liggen. Een auto heeft hij niet, want er zijn geen berijdbare wegen tussen zijn dorpen. Hij bezoekt al zijn parochianen te voet. Hij moet niet alleen de mis opdragen, hij is ook een beetje arts, soms psychiater en sociaal werker. Het lijkt ver weg van het leven in het dorp in de Peel waar hij is geboren. Het kannibalisme is in onbruik geraakt, maar nog steeds zijn er oorlogen tussen de dorpen. Kortgeleden heeft hij vanaf een heuvel machteloos moeten toezien hoe op het strand van Alusi de inwoners van twee dorpen op bloedige wijze met elkaar in botsing kwamen. Pijl en boog, een speer, een zwaard, een mes, het werd allemaal fanatiek gehanteerd. Twee doden en een groot aantal gewonden was het gevolg. Militairen en politie kwamen van het vasteland. De gewonden moesten voor verzorging acht uur varen voordat ze in een ziekenhuis konden worden opgenomen. Een groot aantal raddraaiers werd opgepakt en naar de boei in Larat gebracht. Familie moet zorgen dat ze daar te eten krijgen. De staat geeft ze een gratis heropvoeding. Het zijn verhalen waarbij je vergeet dat je door de zee hebt moeten waden om in de prauw te kunnen klimmen en dat je bij de missieboot gekomen op weinig elegante wijze aan boord bent gehesen, dat je broek kletsnat is en je schoenen vol zitten met vergruizelde schelpjes.

Het is een dag waarop de hitte van de zon wat milder lijkt door een frisse zeewind. Een prachtige dag, die geschikt lijkt om je te herinneren op je sterfbed, want je hoeft er maar even aan te denken en je begint weer te leven. Tenminste, zo zou het voor mij zijn geweest als ik maar voor honderd procent aanwezig had kunnen zijn op deze dag. Maar voor een deel ben ik toch altijd nog bij gisteren. Ik zit nog een beetje in de

Koli koli-bar met Nyong. Hij is plotseling opgehouden met praten, is opgestaan en weggelopen met een korte verklaring die niet overtuigend klonk. Tot ziens in Tual, heeft hij gezegd en hij heeft mij een hand gegeven, wat hij gewoonlijk niet doet. Zie ik hem nog terug?

Maar mijn tocht door het binnenland van Yamdena zal heel wat tijd in beslag nemen. Ik moet het verleden, dat niet eens mijn eigen verleden is, van mij af zetten en me helemaal richten op wat er nu, op dit ogenblik, gebeurt.

En het nu heeft voldoende te bieden. Het dorp Meyendo Bab ligt boven aan een hoge trap die bij het strand begint. De missieboot kan daar niet landen. We zullen met onze bagage over moeten stappen in prauwen en de laatste meters zullen we wel weer door zee moeten waden.

Twee prauwen volgeladen met krijgers varen ons tegemoet. De mannen staan dansend en zingend overeind in de smalle boten maar hun perfecte gevoel voor evenwicht zorgt ervoor dat ze niet omslaan.

Zwijgend zitten we op het dek te wachten. Het gezang van de krijgers – rode tulband, zwarte broek, zwarte streep over het gezicht, speer in de hand – klinkt weemoedig en dan weer krijgszuchtig over de baai. De taal is Bahasa Indonesia, ik kan een paar flarden verstaan. Die avond, als ik in de hut van Maksimilianus Fatlolon en zijn vrouw Supratra met een aantal dorpelingen zit te praten, hoor ik wat de betekenis is en noteer ik enkele zinnen in mijn dagboekje, en vooral het refrein, dat aanmerkelijk minder agressief klinkt dan de rest.

Het begin heeft een onderdrukte dreiging:

Dari zaman dahulu, pertempuran sangat kejam
beritanya sampai tersebar kemana mana
bahwa pendekar itu menang melawan musuh.

Vrij vertaald:

> In vroeger tijden waren de gevechten bitter
> Berichten gingen van dorp tot dorp
> over aanvallers die hun vijanden hadden
> overwonnen.

Maar dan komt het refrein, het klinkt verzoenend:

> *Inilah sembeyan, lebik baik mati*
> *karena desanya, dan tetap menjadi*
> *menangan didalam hati.*

Ik vertaal dat als:

> Dit is maar bij wijze van spreken, het is beter
> te sterven voor je dorp en als blijvende
> herinnering
> in de harten van de mensen te zijn.

Intussen is een van de krijgers aan boord gesprongen. Hij gaat schrijlings op de rand zitten. Het is het teken dat het contact tot stand is gekomen en een aantal lege prauwen wordt door jonge peddelaars vanaf het strand in beweging gezet en komt even later langszij liggen. Voorzichtig worden daarin aan touwen de zilverkleurige stalen koffers neergelaten waarin het filmmateriaal waterdicht zit verpakt. De cameramensen bemannen elk een prauw en waken over de koffers alsof daar alle sieraden van Arabië inzitten die de plaatselijke prinses komt kopen. De Duitse pastoor Prier, die ook tot de expeditie behoort, en de organisator volgen elk apart in een eigen prauw met een of meer stukken kostbare apparatuur. Pastoor Anton Geelen is als eerste door de bevolking met luid gejuich ingehaald, hij staat al op het strand.

Er is nog een laatste prauw over waarin alleen een paar reistassen liggen, het minst stabiele en smalste bootje, lijkt me. Ik gooi mijn eigen reistas erbij en probeer de afstand te schatten. Is het anderhalve meter? Twee meter? Is het meer? Maar wat maakt het uit. Ik moet recht omlaag springen en zorgen dat ik goed terechtkom, dat wil zeggen: net op die kleine lege plek midden in de boot en niet op de berg wankele tassen. Een ogenblik heb ik het gevoel dat het gewoon niet kan. Ik wil een helpende hand, een touwladder, op z'n minst een stevige man die rechtop in de prauw staat en belooft mij op te vangen. Maar in de dobberende boot zit alleen een jongetje met een pagaai op de achtersteven, zijn roeispaan opgeheven om zijn boot af te duwen tegen het missieschip zodra ik aan zijn voeten ben geland. Hij begrijpt niet waarom ik aarzel. Een seconde lang overweeg ik gewoon aan boord te blijven, maar dan herinner ik me mijn eerste ontmoeting met de filmploeg. Zoals ik al wel had gedacht zat niemand daar te wachten op mijn gezelschap.

Maar ik mocht mee als ik bereid was mijzelf te redden. Ze hadden geen tijd voor een helpende hand of andere plichtplegingen. Ze waren verantwoordelijk voor hun dure filmmateriaal, daar hadden ze al hun aandacht voor nodig. Ze hadden elk een eigen rol in de opdracht en beslist geen tijd om mij het leven te veraangenamen.

'Afgesproken,' heb ik gezegd, 'ik kan mezelf wel redden en zal jullie niet voor de voeten lopen.'

De overige boten naderen nu het strand. Over een paar minuten gaat de ceremonie beginnen. Daar moet ik bij zijn en dus moet ik handelen.

Ik spring. Ik kom goed terecht. En ik denk, zoals zo vaak: meer geluk dan wijsheid. Want bij het springen heb ik niet goed gekeken waar mijn voeten moeten landen. Ik spring met mijn ogen dicht. Daarbij denk ik aan eenzelfde seconde bij de landing op de Mentawai-eilanden tijdens een vliegende storm. Dat ogenblik zal ik ook nooit vergeten en ik heb het beschreven in mijn reisboek *Terug naar de Atlasvlinder*. Het verschil tussen die landing van toen en de sprong van nu is tien jaar. Bij de landing op Mentawai was ik begin zestig en nu ben ik in de zeventig. Het is een groter verschil dan tussen dertig en veertig, al blijft het aantal jaren tien.

Het verschil tussen zestig en zeventig zit niet zozeer in de mogelijkheid dat je beendergestel brozer is geworden en je spierstelsel strammer. Het zit meer in je zelfvertrouwen dat alleen in geestelijk opzicht is gegroeid. Het lichamelijk zelfvertrouwen is nu gaan aarzelen al zijn er nog geen rampen gebeurd waardoor het vertrouwen in je lichaam echt begint te wankelen. Zodra dat laatste gebeurt kun je inderdaad beter aan boord blijven of nog beter: niet aan zo'n reis beginnen.

In die paar seconden – over de reling klimmen, omlaag springen, gaan zitten op je reistas, het pagaaiende jongetje begroeten dat je breed toegrijnst – kan zich in een mens heel wat afspelen. Een buitenstaander ziet niets. Ik stap uit de prauw, hang mijn reistas over mijn schouder, waad door ondiepe zee, mijn voeten in een korrelige brij van zand en koraal. Ik stap aan land en trek mijn witte linnen hoedje recht. Niemand hier heeft toch zeker zijn enkel verstuikt bij dat sprongetje van het schip in de prauw? Waarom zou dat dan bij mij wel gebeuren? Alleen omdat ik de oudste ben soms? Misschien heb ik wel de beste beschermengel van allemaal. Want al heb ik mijn geloof in bijna alles verloren, in die beschermengel heb ik altijd vertrouwen gehad en nooit ten onrechte.

Het strand van Meyendo Bab is te smal om plaats te bieden aan alle deelnemers aan de welkomstceremonie. De mensen staan daarom langs de trap opgesteld zodat je omhoog kunt klimmen en op elke trede een hand kunt schudden, je naam kunt noemen en iets persoonlijks kunt zeggen. Ik speel het maar net klaar zonder al te veel gehijg. Het is al na twaalven en de zon staat pal boven ons hoofd. Als ik eindelijk bovenkom staat ons groepje daar ongeduldig te wachten, iedereen bezweet en vermoeid. Onze bagage, ook de koffers met filmmateriaal, wordt weggedragen door de bevolking, waarvan iedereen is gekleed in kleurig adatkostuum. Wij worden naar het gemeenschapshuis begeleid, waar de *kepala kampung* ons verwelkomt. De organisator stelt ons voor aan de inwoners die in en rond het gebouw samendrommen. Het hoogtepunt in zijn toespraak is de mededeling dat in ons kleine gezelschap ook een *ayah*, een vader, meereist. Maar het is geen man, het is een vrouw! 'Sta even op,' zegt pastoor Geelen tegen me, maar het is me te veel, machteloos wuif ik even met mijn handen.

We krijgen limonade en cakejes en daarna gaan we in optocht naar het open veld. Vroeger werden de adatdansen gehouden op de *natar*, het dorpsplein, maar nu er zoveel meer mensen zijn moeten we naar het veld aan de rand van het dorp.

Voor het eerst zie ik de *bebeen asbingar*, de belangrijkste dans, of in ieder geval de dans die je overal te zien krijgt waar mannen aanwezig zijn. Het is de gewerendans. Twee rijen mannen staan tegenover elkaar, ritmische muziek, voeten stampen op de aarde, vooruit, achteruit, alles onder begeleiding van de muziek en het zingen van de *siksibar asbingar*. Ik vergeet dat ik doodmoe ben, dat haar en bloes, nat van zweet, op mijn huid plakken. De wereld is kleur en schittering, ritme, opzwepende muziek. Palmen op de achtergrond lijken een getekend decor, want deze werkelijkheid waarin ik hijgend sta rond te kijken is zo onwaarschijnlijk dat mijn vermoeide brein het geheel terugbrengt tot een film met een tropische achtergrond die wat onwezenlijk aandoet.

De vrouwen dragen allemaal een feestsarong in verschillende kleuren en met uiteenlopende dessins. Elk stuk is hier in het dorp geweven door de vrouwen zelf. Ik zie veel diepzwart en helder blauw en rood en geel. De kleurstoffen daarvoor komen uit deze streek. Zwart komt van de boomsoort die men in Yamdena katjaoe noemt. Rood komt van de bast van mangrovebossen en geel van de knollen van de kalwatin. Al deze kleuren verbleken als de sarongs vaak worden gewassen en in de zon gedroogd. De stof wordt daarom eerst nog eens door water gehaald waarin een zachte koraalsoort is opgelost. Het is het plaatselijke scheutje azijn dat wij vroeger gebruikten.

Nog opvallender dan de sarong is de hoofdtooi van de vrouwen, die meestal versierd is met wuivende casuarisveren. Vroeger zaten aan de hoofdband dode paradijsvogels vast, de pootjes bijeengebonden, een bamboepin door het lijfje en de bek. Maar sinds de Europese vrouwen ook hoeden met paradijsvogelveren zijn gaan dragen, zijn die vogels op Tanimbar en op Aru vrijwel uitgestorven. Dat is jammer, zegt een van de dorpelingen tegen me want het was een prachtig gezicht.

Ik kan alleen maar blij zijn dat ik dat alvast niet meer mee hoef te maken. Er zijn nog genoeg gruwelen over.

In tegenstelling tot de dansen in Ngefuit aan de oostkust van Groot Kei, worden bij deze dansen in Yamdena veel sieraden gedragen, zowel door mannen als door vrouwen. Er zijn witte armbanden van marmerzuilschelpen, halskettingen van agaatkoraal, koperen banden om de enkels en oorringen van goud of misschien wel van geel koper dat glanst in de zon.

Na de mannendansen komen de vrouwendansen. Maar het is of ik nauwelijks aparte dansen kan onderscheiden. Het is een gewemel van kleuren voor mijn ogen. De zon staat nu al veel lager en geeft een rossige gloed aan de glanzende bruine lijven van de dansende krijgers.

Die avond, na een bad in de pastoran, waar alle leden van de filmploeg een onderdak vinden, loop ik met Maksimilianus Fatlolon en zijn vrouw Supratra mee naar hun huis. De straten die aan de buitenkant van het dorp liggen, bestaan uit witte keien die geen enkele samenhang lijken te hebben. Je moet er licht en luchtig overheen lopen, meer zwevend dan stappend want anders breng je de massa in beweging en loop je de kans een been te breken. Ik speel het maar net klaar en als ik ga zitten in het voorgalerijtje van het huisje van mijn gastheer, neem ik me voor daar voorlopig te blijven zitten tot ik flink ben uitgerust. Ik zeg dus meteen dat ik geen honger heb en daarom vanavond niet naar het gemeenschapshuis ga waar een feestmaaltijd zal worden opgediend. Wat liegt een mens toch makkelijk. Maar hoe moet ik uitleggen dat ik liever niet in het donker terugloop over die keienweg, want zijzelf bewandelen die weg dag en nacht zonder enige moeite.

Gelukkig gelooft hier geen mens dat je weleens geen honger zou kunnen hebben en daarom wordt er die avond een dienblad gebracht met allerlei heerlijkheden erop en ook een emaillen kannetje met water dat ik meteen helemaal leegdrink. Dat laatste was misschien niet zo'n goed idee. Beter had ik een tas vol blikjes en kartonnetjes vruchtensap kunnen meenemen uit Saumlaki.

Want later heb ik nog vaak aan die aanlokkelijke kan water gedacht die mij werd voorgezet in een geïsoleerd dorp zonder waterleiding, waar het bovendien al een halfjaar niet had geregend. Ik heb dat kannetje herhaaldelijk voor me gezien toen ik een tijd later lag te krimpen van de pijn, met buikloop waar geen imodium tegen was opgewassen en met, zo meende ik, een zekere en weinig fraaie dood voor ogen. Wat doet het ertoe achteraf. Het ging voorbij.

Nu zit ik nog op een voorgalerijtje in Meyendo en praat met Maksimilianus en Supratra en een gast over het leven tijdens de droge moesson. Ik wil al mijn gerechten met hen delen maar daar is geen sprake van. Onder hun geïnteresseerde en welwillende blikken zal ik eerst moeten eten voordat zij zelf aan een maaltijd kunnen beginnen. Ik neem dus een stokje saté en een stuk komkommer en vraag Supratra het dienblad naar haar keuken te brengen. Alleen de kan water hou ik bij me. Supratra zet dan een grote schaal met witte ubiknollen op tafel. Er is een saus bij van sambal en santen. Daar wordt flink van gegeten door de twee mannen. De gastvrouw eet later, als iedereen werkelijk genoeg heeft gehad. Zo is ze dat nu eenmaal gewend. Krijgt zij nog wat van de rest van mijn maaltijd die genoeg te bieden heeft voor drie? Of vist ze ook daar achter het net? Dat zijn de dingen die je zou willen weten, waar je over wilt praten met de vrouwen. Graag zou ik Yekki het dubbele hebben betaald van wat ze mij nu heeft gekost als ze mij deze vrouwengeheimen had willen onthullen. Ik heb het vaak genoeg geprobeerd, maar het behoorde niet tot het terrein van inlichtingen-voor-toeristen. Het woord waarmee ze al die zaken afdeed was: adat. Als je niet beter wist zou je denken dat adat hetzelfde betekent als *pomali*, namelijk: taboe, verboden. Maksimilianus en zijn gast moeten zelf een beetje lachen om de grote hoeveelheid eten die ze in snel tempo naar binnen werken. Mannen hebben nu eenmaal meer voedsel nodig, zeggen ze, ze zijn allebei *petani*, landbouwers. Die moeten vroeg op en dan hard aan de slag.

Mijn gastheer heeft een zoon die studeert op Ambon. Terloops vraagt hij mij of ik de verdere opleiding van die zoon op mij zou willen nemen. Het is misschien wel prettig voor Ibu ook een zoon te hebben. In Holland heeft zij immers alleen twee dochters en die kosten geen geld. Zijn veldje heeft dit jaar niet veel winst opgeleverd, hij zal zijn zoon anders misschien naar Meyendo terug moeten halen.

Ik draai zo langzamerhand mijn hand niet meer om voor verzoeken om grote sommen geld. Als ik het gevraagde beschikbaar had, zou het misschien moeilijker voor mij zijn. Mijn antwoord is dan ook altijd dat ik tot mijn spijt niet veel kan doen omdat ik ook maar gestuurd ben en dat mijn opdrachtgever wel mijn reis betaalt maar niet de bijkomende kosten zoals studiebeurzen van jongens op Ambon. Ik geef de volgende ochtend gewoon wat ik gegeven zou hebben als ik me eens een nacht een luxehotel zou hebben gegund, en de buurvrouwen die hardroze borduurwerkjes komen slijten tegen fancyprijzen en een meisje dat komt collecteren voor zielige weesjes krijgen ook elk wat. Ook noteer ik alle aanvragen in mijn rode wensenboekje, maar ik zeg erbij dat ik dat alleen doe voor het geval ik opeens een bestseller schrijf of een lot win in de loterij of een erfenis krijg die de moeite waard is. Ik zeg er ook bij dat ik zelf niet geloof dat die drie mogelijkheden ooit tot werkelijkheid zullen worden. Maar je kunt nooit weten: 'De zoon van Maksimilianus: studiegeld. Maksimilianus zelf: een gouden horloge. De bijrijder uit een microlet in Saumlaki: een paar Nike sportschoenen zoals ik zelf draag. Arif uit Tual: een zonnebril met een konijntje van *Playboy*. Het meisje Yoké uit Saumlaki, dat zich als begeleidster aanbiedt als ik onbeschermd door Yekki zomaar vrij rondloop: een zwart T-shirt met lange mouwen zoals ik er zelf een draag. Een man uit het Koli koli-restaurant: een vouwstoel met een uit een tijdschrift geknipt plaatje bijgevoegd. Het lijkt hard maar het is noodweer. In mijn boek over India beschrijf ik bijvoorbeeld een scène waarbij een buschauffeur stopt omdat er een doodzieke man dwars over de rijweg ligt. Met zijn bijrijder tilt hij hem op en legt hem aan de kant. Dan stapt hij weer in en rijdt door. Op dat moment had ik in actie moeten komen, vinden sommige mensen. Ik zou dat misschien hebben gedaan als ik Batman-capaciteiten had bezeten. Nu ben ik, zittend in die bus, niet meer en niet minder dan al die andere mensen die ook langs de stervende heen lopen en hem laten liggen. Het zijn voor een groot deel warmvoelende mensen maar ze hebben geen invloed en geen geld. Wel blijf je pijnlijk voelen dat je tekort schiet.

Als het donker wordt en de gast afscheid neemt, verwacht ik half en half dat mijn gastvrouw mij nu zal voorgaan naar een klein kamertje waar ik zal kunnen slapen want tenslotte hebben zij aangeboden mij die nacht te herbergen. Maar ze wijzen naar een hoek van het voorgalerijtje waar een doek is gespannen. In die donkere hoek zie ik nu schemerig een bed staan. Wat verlegen legt Supratra uit dat de voorgalerij het enige deel van het huis is dat al een echte cementen vloer heeft. De rest van de woning heeft kamertjes met vloeren van aangestampte aarde, daar kunnen ze geen gast uit Europa laten slapen. Ik dank hen voor die goede voorzorgen en wens iedereen welterusten. Met mijn reistas verdwijn ik achter het doek dat mij onttrekt aan de blikken van mijn gastheer en gastvrouw, die nog gezellig in hun stoelen blijven zitten. De kain beschermt mij ook tegen de blikken van de voorbijgangers op straat want er is geen voortuintje. Het onttrekt mij aan die blikken vanaf mijn bovenbenen tot aan mijn schouders. De rest beweegt zich onder en boven het doek als een nieuw en origineel schimmenspel: een hoofd en hals, een stel kuiten en twee blote voeten. Aan de doodse stilte op het voorgalerijtje en aan het ophouden van voetengeschuifel langs het huis kan ik merken dat de vertoning wel wordt gewaardeerd.

Het zou niet beleefd zijn de toeschouwers teleur te stellen. Ik trek mijn lange T-shirt uit mijn reistas maar dat gebeurt op heuphoogte, daar heeft niemand wat aan. Even zwaai ik het shirt omhoog zodat iedereen het goed kan bekijken. Ik trek mijn schoenen uit en ook mijn sokken, die alweer vol steentjes zitten. Daarbij heb ik me diep voorovergebogen, mijn handen bijna op de cementen vloer. Het is nu goed te zien hoe ik met een handdoekje mijn voeten schoonveeg en er dan ook nog voetcrème op smeer. Zoiets doe ik meestal alleen na het bad, maar nu heeft het zin om het eens een keer extra te doen. Ik steek zelfs de tube nog even ter inspectie hoog boven mijn hoofd. Dat doe ik wat onhandig en de tube komt in aanraking met het lage dak, glipt uit mijn handen, valt op de grond, net iets buiten mijn afgedoekte slaapvertrek.

Wat nu? Kom ik te voorschijn en ga ik, in mijn T-shirt, oog in oog met het betrapte publiek, op zoek naar de tube? Aarzelend blijf ik even zitten op de bedrand. Dan zie ik de tube opeens te voorschijn komen, langzaam glijdend over de vloer. Iemand heeft er met hand of voet een duw tegen gegeven en ik raap hem dankbaar op, voor hij onder het bed kan verdwijnen. De fut voor een verdere voorstelling is er dan bij mij uit en ik ga op het bed liggen met een zucht van tevredenheid, waarmee ik mijn gastvrouw wil duidelijk maken dat ik het een comfortabel bed vind. Dat is het ook wel, al steken mijn blote voeten minstens dertig centimeter naar buiten.

Het voetengeschuifel op straat begint weer zodra de toeschouwers merken dat de voorstelling is afgelopen. Ook hoor ik zacht stoelengeschuifel, en het licht van het petroleumlampje dat op de eettafel stond zwaait even in alle richtingen en verdwijnt dan door de deur naar de kamertjes met vloeren van aangestampte aarde. Er wonen hier zorgzame mensen. Ze hebben het licht niet willen weghalen voordat ik klaar was met de voorbereidingen voor de nacht.

Het is nu pikdonker. Op straat hoor ik nog zacht gepraat, er blaft een hond, een paar keien verschuiven kletterend onder een te haastige voet. Dan wordt het weer echt stil.

Ik ben moe maar kan niet in slaap komen. Mijn hoofd zit nog vol beelden. Ik zie weer het open veld met palmen rondom. In een gevorkte mangoboom zitten kleine jongetjes, zij hebben de beste toeschouwersplaatsen. Mensen dansen en zingen, ik zie een palet vol kleuren dat langzaam aan donkerder wordt. In dat donker zie ik dan weer het gezicht van Nyong. Ik zie ook het gezicht van Amase. Ik heb haar nooit ontmoet. Het lijkt of ik een foto van haar bekijk. Iemand houdt me haar foto voor. Als ik probeer scherper te kijken, lijkt het opeens een beetje op een foto van mijzelf, uit een tijd dat ik veel jonger was. Amase is ook een westerse vrouw. Hoe heeft ze ooit zo overhaast kunnen beginnen aan een relatie met Nyong, die wel een uitgesproken charme bezit, die zeker ook bijzonder intelligent is en lang geleden vast een heel knappe man is geweest maar die toch anders denkt dan wij, die toch, nou ja, wat..., die toch... Dan slaap ik ongemerkt in.

De volgende dag wordt er in de vroege ochtendzon weer gedanst. Elke bebeen, traditionele dans, is weer totaal anders dan de vorige. Er is een zakdoekendans, speciaal voor de mannen op zee: de vrouwen wuiven goede wind in de richting van de vissers, waarschuwen voor een gevaarlijke stroming, een opgeheven zakdoek zwiept een hele school vissen in de netten. Er is een dans om te vragen om regen, en een oogstdans. De *tamber*, uitsluitend voor mannen, wisselt af met de *snyambar*, gedanst door de vrouwen.

Pastoor Geelen leidt me door het dorp, dat er feestelijk en ook wel schilderachtig bij ligt. De grond is hier en daar gebarsten door de droogte. Overal zitten vrouwen te weven en opeens zie ik iets waarover ik wel heb gelezen maar dat ik nog nooit zelf heb gezien: een vrouw die spint zonder spinnewiel.

Ze staat op haar voorgalerijtje en terwijl ze spint loopt ze zelfs heen en weer. In haar linkerhand houdt ze een spinkorfje, de rechterhand houdt een klos vast.

Het korfje, dat van lontarvezels is gemaakt, wordt gevuld met de ruwe katoen. Het mandje heeft de vorm van een karafje met een kort halsje. De spinnende vrouw houdt het karafje bij de hals vast tussen de derde en de vierde vinger van haar linkerhand, terwijl duim en wijsvinger van diezelfde hand een fijn sliertje katoen naar buiten trekken en tot een draadje draaien. Die draad wordt vastgemaakt aan de klos en opgewonden door een snelle beweging van de pols, die schijnbaar moeiteloos onafgebroken in het rond blijft draaien. Ook de katoen wordt in de buurt geteeld. De in de zon gedroogde vruchten barsten ten slotte open en de witte katoen springt naar buiten. Met de hand of een scherp mesje worden de zaadjes eruit gehaald en dan is de katoen klaar voor het spinkorfje.

Een vrouw zittend bij een spinnewiel heb ik altijd een romantisch gezicht gevonden, maar deze lachende, staande, licht met de heupen zwaaiende vrouw in Meyendo Bab is zeker even decoratief.

De natar van Sangliat Dol

Heel wat jaren zal ik nog bijna dagelijks denken aan die keer dat ik voor het eerst de resten van een stenen boot zag op de *natar*, het dorpspleintje van Sangliat Dol. Want elke dag zie ik de pink van mijn rechterhand, en die brak ik boven aan de trap van Sangliat Dol, met de boot recht vóór mij. Het was een val van niks. Op de hobbelige laatste tree van het strand naar het dorp gleed ik uit en stootte met mijn pink tegen de rotswand. Het eerste vingerkootje brak, maar ik merkte het nauwelijks, ik stond zo weer overeind en pijn voelde ik niet eens. Het botje heelde weer maar de pink is stijf gebleven, een herinnering aan dat ene moment. Als ik naar die pink kijk, komt de aanblik van de feestelijke natar duidelijk bij me boven. De huizen staan met de opening gekeerd naar de stenen boot op het plein. Op de rand van de boot hebben alle edelen van het dorp hun eigen *batu kursi*, een stoel van steen. Ze zitten daar in de zon met ontbloot bovenlijf, een krans van witte schelpen om de hals en een speer van goud in hun hand.

Nou ja, van goud. Hij was van goud toen ze hem van God kregen, zo luidt het verhaal. God was in de volle glorie van zijn gouden wapenuitrusting neergedaald in een kolipalm. Daar zat hij zo'n beetje rond te kijken. Hij had niets kwaads in de zin, maar de inwoners van het dorp werden boos omdat ze hem ervan verdachten dat hij hun palmwijn zat op te drinken. Ze sommeerden hem dus meteen naar beneden te komen en dat deed God terwijl hij ze ook nog zijn excuses aanbood omdat hij hen zo had overvallen. Maar de inwoners van het dorp namen dat niet. 'Betalen!' riepen ze. En God zei goedig: 'Ik had jullie het eeuwige leven willen geven.' De mensen vonden dat smoesjes, ze wilden de speer van goud hebben, want dat leek hun een wonderspeer. Dat was het ook, dat hadden ze goed gezien. Hij kon hele dorpen vernietigen en mensen in steen veranderen.

God gaf de gouden speer en de mensen bleven sterfelijk. Maar voortaan hadden ze wel de macht elkaar naar willekeur uit te roeien.

Het verhaal heeft destijds indruk op me gemaakt en misschien hebben daarom al die krijgers in die stenen boot, gekleed in een kostbare heupdoek en met een gouden speer die schittert in de zon, een speciale betekenis voor me.

Sinds mensenheugenis worden op deze plek de gasten ontvangen. Ons kleine groepje klimt dus in de stenen boot. We zitten met onze rug naar de zee, het gezicht naar de huizen van het dorp gekeerd. Ik krijg één enkele seconde om dit meest fantastische schouwspel dat ik ooit zag, te bekijken. Er wordt me sirih aangeboden en een glas met *saguer*. Een haastige slok en dan het glas doorgeven aan degene die naast je zit, in dit geval de cameraman die zich net zo gefrustreerd voelt als ik. Want het is een schouwspel waarbij je zou kunnen zeggen: 'Op een feestdag de natar van Sangliat Dol zien en dan sterven!' Het is een toneeltje, niet alleen vol prachtige mensen in prachtige adatkleren en met gouden speren maar er lijkt een haast tastbaar geworden kracht, levensdrift, opwinding, woede en warmte te zijn samengebald in alles wat ik zie aan kleur en vorm. Alleen: we kunnen het niet filmen. Ik kan er geen foto van maken. Het is twaalf uur, de zon staat bijna recht boven ons hoofd en het licht op deze hoog gelegen open plek is zó schel dat het alle kleur en vorm zal wegwassen als we het op papier of celluloid proberen vast te leggen. Alle ruggen zijn naar het licht gekeerd, zodat de gezichten, zelfs met het blote oog, bijna zwart lijken.

De aanblik van de edelen van Sangliat Dol die hun gasten ontvangen in de stenen boot, is een aanblik die met niets kan worden vergeleken. Maar je krijgt niet meer dan die ene seconde om het te bekijken. Het versterkt het gevoel van je eigen sterfelijkheid.

Het is allemaal het gevolg van wat er gebeurde toen God lang geleden afdaalde in de top van die kolipalm. Hij wist toen nog niet hoe hij met mensen moest praten.

Achter ons ligt de zee en in de diepte het strand met de palmen. Ditmaal zijn ons geen krijgers tegemoet gevaren. Maar zodra ik, schoenen in de hand, door het water kom aanwaden en op het strand stap, staat daar vlak bij me de oudste wijze man van het dorp. Tenger bruin lijf, grijs haar met zwarte tulband, een geweven doek om de heupen.

Hij wenkt mij. Als oudste van het gezelschap word ik als eerste ingewijd. Ik ga voor hem staan met gebogen hoofd en zak wat door mijn knieën om minder lang te lijken. De oude man neemt een handvol van het zand aan zijn voeten, pakt het witte linnen hoedje van mijn hoofd en strooit het zand op mijn haar. Hij heet mij welkom. Ik kan nu heilige grond betreden, ik behoor even bij het dorp. De trap is hoog, met enorme treden maar het hindert niet dat ik geen hulp kan krijgen van mijn filmploeg, er zijn voldoende helpende handen om mij omhoog te trekken en te duwen. Boven aan de trap staat het ontvangstcomité. Men leidt ons naar de natar. Zo'n ogenblik zal geen mens kunnen vergeten. Het staat dan ook scherp in mijn geheugen gegrift.

Wat ik nu maar hoop is dat dit het beeld zal zijn dat mij het langste bijblijft, het beeld met de gunstigste vervaldatum, net even duurzamer dan die lange rij schitterende beelden die ik meedraag in mijn hoofd. Het moet nog even kunnen blijven hangen als een nagalm van het leven, op het moment dat alles voor mij onherroepelijk verdwijnt in het niets.

Bij de oude vrouwen van Sangliat Dol voel ik mij thuis. Ze zijn anders dan de oude vrouwen met tekortgedane gezichten die soms bij elkaar drommen in comfortabele tehuizen en die iemand de doodschrik op het lijf kunnen jagen. Wat is er nu precies anders aan de oude vrouwen van Sangliat Dol? Ik kan het niet met zekerheid zeggen, maar ik zie wel dat ze zich gerespecteerd voelen. Ze worden beschouwd als wijze vrouwen, al zullen ze dat waarschijnlijk niet allemaal zijn. Hun vooraanstaande plaats maakt wel dat ze rustige ontspannen gezichten hebben gekregen en een waardige manier van lopen, en levendige ogen die alles in de gaten lijken te hebben. Een van hen, een witte band om het bruine, nog nauwelijks gerimpelde voorhoofd, zware oorringen onder een wuivende casuarisverentooi, komt naar me toe. Op zachte toon begint ze een lang verhaal waarvan ik niets kan verstaan. Spreekt ze nog de oude taal van Yamdena? De organisator van onze filmploeg, die alle mogelijke talen spreekt en bovendien snel kan reageren op alles wat in zijn omgeving gebeurt, komt onmiddellijk bij ons staan. Hij luistert met respect naar wat de oude vrouw zegt en vat het geheel dan kort samen in de mededeling: 'U wordt uitgenodigd voor de sirihceremonie van oude wijze vrouwen.' Meteen draait hij zich alweer om en rent terug naar zijn cameramensen. We staan iets apart van de rondlopende dansers in adatkostuum. Ik roep mijn lichaamstaal te hulp en terwijl mijn mond gewone Nederlandse woorden uitspreekt, zeg ik met behulp van mimiek, houding van hoofd, schouders, handen en een licht doorzakken in de knieën: 'Dat stel ik erg op prijs. Heel graag. Ik ga met u mee.'

Ze verstaat me heel goed en glimlacht tegen me met schrandere, warme ogen. Ik loop achter haar aan naar een groepje oude vrouwen, die zich hebben teruggetrokken achter een haag van tjabeh-rawitstruiken. Daar is een vlak stukje grond waarop een feestmat is neergelegd. Ik ga met gekruiste benen zitten op de plek die mij wordt aangewezen.

Er worden wat welkomstwoorden gezegd en ik praat op mijn eigen manier terug. Het blijft wel een beetje een gok. We vormen een kring. In het midden zit een kleine stokoude vrouw. Later hoor ik dat zij een van de oudste inwoners is en woont in een van de oudste huizen met een naam. Want in Sangliat Dol staan huizen met naam en zonder naam. In de eerste wonen de edelen en in de tweede de gewone burgers. De oudste huizen met een naam staan het dichtst bij de natar met de stenen boot. Over die boot heen kijken ze uit op zee.

De oudste vrouw is druk bezig met doosjes en potjes. De andere vrouwen mompelen daarbij onverstaanbare zinnetjes. Na een poosje gaat dat over in geneurie, dat af en toe zacht zingen wordt met veel ritmisch madoèm-madoèm-madoèm-gemompel. Het heeft een bijna hypnotische werking. Is het de bedoeling dat we met z'n allen in trance gaan? Maar dan zie ik opeens wat de oudste vrouw aan het doen is. Ze maakt een sirihpruim klaar, beetje tabak, wat sirihbladeren, wat kalk van fijngemalen witte schelpjes, het wordt een flinke dot, die ze ten slotte in haar mond stopt en waar ze op gaat zitten kauwen met haar tandeloze mond. Ze kijkt me verzaligd aan en ik glimlach maar weer eens tegen haar, want ik heb er geen idee van wat er nu van mij wordt verwacht. De andere oude vrouwen neuriën en zingen nu iets luider en tikken met hun rechterhand ritmisch tegen hun rechterbeen. Zo zitten we een tijdje in de volle zon en ik vraag me af of ik met goed fatsoen mijn witte petje weer op kan zetten. Ik wil hier geen zonnesteek krijgen, maar een mij vroeg bijgebrachte, westerse gedragsregel zegt mij dat je bij een plechtigheid niet je zonnehoedje ophoudt als de andere deelnemers dat geen van allen doen. Ik heb mijn witte dopje dus haastig afgerukt toen ik in de kring ging zitten. Een dwaas gebaar vind ik het nu achteraf want er zijn ook heel wat ceremoniën waarbij je juist wel je hoofd bedekt. Het is een klein dilemma dat me weer eens met mijn neus drukt op het feit dat de plaatselijke gebruiken me vreemd zijn. Ik voel me een oud geworden Alice in Wonderland en het wonderland heet Sangliat Dol.

De oudste heeft op een bepaald ogenblik blijkbaar genoeg op de sirihpruim gekauwd. Ze neemt hem uit haar mond en stopt hem in de mond van de vrouw die mij de uitnodiging heeft overgebracht. Die dankt met een beleefd handgebaar en begint vol aandacht op de pruim te kauwen. Na een tijdje neemt ze de pruim uit de mond en stopt hem met een zorgzaam gebaar in de mond van degene die naast haar zit. Zo gaat de pruim de hele kring door, tot de oude vrouw naast mij de pruim uit haar mond haalt en die mij, als laatste in de rij, in de mond duwt. Ik maak het dankgebaar met mijn hand dat ik van de anderen heb afgekeken. De handen en monden van de vrouwen zijn rood van het sirihsap. We zullen er wel uitzien als een kring bebloede oude heksen.

Ik heb er geen idee van wat er nu van mij wordt verwacht. Maar een tijdlang kauw ik op mijn beurt ernstig en langzaam. Daarmee kan ik niet blijven doorgaan, dus ten slotte neem ik de pruim uit mijn mond tussen duim en wijsvinger en bied hem, met vragende blik, aan de kleine vrouw aan, die nog steeds in het midden van de kring zit. Zij doet hem nog even genietend in haar eigen mond, maar neemt hem er dan meteen weer uit en werpt hem over haar schouder met een boog van zich af. Hij verdwijnt tussen rotsen en struiken. Iedereen roept daarbij iets tussen Hoi! en Hai! in. We staan allemaal op. De vrouwen drommen om mij heen, raken me om beurten even aan, mijn schouder, mijn arm, mijn bloes en zelfs het witte hoedje dat ik weer heb opgezet.

Een van de vrouwen loopt weg en komt terug met de organisator, die, fronsend van haast, even luistert naar een uitleg die hem wordt gegeven. Hij zegt dan tegen mij: 'U hoort nu voorgoed bij de oude wijze vrouwen van Sangliat Dol. Wat dat precies inhoudt kan ik u ook niet vertellen.'

Hij draait zich om en wil snel weer naar zijn camera's terug. Ik pak hem nog net bij zijn mouw en verzoek hem om eerst nog even mijn dank over te brengen aan de oude wijze vrouwen. Dat doet hij en iedereen lacht nu en lijkt opgelucht. De organisator is zelf ook weer ontspannen. In het Engels zegt hij tegen mij dat mij een grote eer is bewezen. Hij vindt dat mijn gezicht te rood ziet door de zon. Ik kan nu beter met hem mee gaan naar de schaduw, waar een tafel staat met koele glazen limonade.

Ik wuif en lach tegen de vrouwen en roep nog eens: 'Thank you! Thank you!' Dat verstaan ze heel goed. In koor roepen ze terug: 'Thank you! Thank you!' en een van hen zegt tot mijn verrassing: 'Tonight! In my house! You sleep!'

'Thank you!' zeg ik nog eens, nu speciaal tegen haar. Ik laat mij naar de schaduw brengen waar banken staan en waar, op de *lapongan*, nog steeds wordt gedanst. Mijn kring oude vrouwen gaat uit elkaar, en ik zie ze stuk voor stuk hun plaats innemen in de dansgroep, sommigen vooraan, anderen iets meer naar achteren. Want alles gaat hier in de volgorde van belangrijkheid en die belangrijkheid wordt bepaald door de dag van aankomst in het dorp, niet door leeftijd of sekse.

Het is een indrukwekkend gezicht als de hele dansgroep in adatkleding staat opgesteld. Men zegt dat ze zich opstellen in de vorm van een boot, maar ik vind dat het meer heeft van de vorm van een hoefijzer. De open kant is naar de toeschouwers gericht en de belangrijkste personen, vrouwen zowel als mannen, hebben een vaste plaats in het geheel. Iets buiten de kring, dicht bij de toeschouwers, staat de *mangasyoru*, dat kan een man zijn of een vrouw. Hij of zij roept luid de naam van de boot, de naam van de dans. Degene die daar staat is altijd een nakomeling van de oorspronkelijke dorpsbewoners en komt uit een heel oud geslacht. Haast even belangrijk zijn twee mensen aan de andere kant van de open kring, de twee roeiers, maar zij zijn afstammelingen van de familie die juist als laatste in het dorp aankwam. Het zijn de *wilin bayal* en de *wilin fian*, de rechter- en de linkerroeier.

Dicht bij de opening maar wel binnen de bootvorm staan vier tifadrummers. Helemaal achterin staan vier dansers die fregatvogels voorstellen. Ze houden beide armen boven het hoofd en beelden het contact uit met het bovennatuurlijke.

Dan is er nog een leider die zich vrij heen en weer beweegt. Soms danst hij vóór de drummers, dan weer erachter. Hij heeft een bos veren in de hand, het zijn soms oude paradijsvogelveren maar meestal pluimige casuarisvogelveren. Hij draagt een lans met een tongvormige piek vanboven en vanonderen een bos roodgeverfde bokkenharen.

De vrouwen dansen met rechte, maar scherp naar voren gebogen ruggen en met gebogen knieën. In die vermoeiende houding voeren ze alle dansen uit. Het zingen en ook de bewegingen zijn vrij eentonig. De muziek is ritmisch en heeft een hypnotisch effect. De mannen dansen iets wilder, zwaaien dreigend met de lansen. Het doet denken aan donker Afrika, je zou er uren naar kunnen kijken.

Na het avondeten word ik door een paar oude vrouwen naar het huis van mijn gastvrouw gebracht. Ik hoor dat ze drieënzeventig is. Ze heeft de hele middag meegedanst.

Het huis staat dicht bij de natar. Mijn gastvrouw is oud in leeftijd en ook oud wat de familie betreft. Het is ruim in haar huis, er hangen kleurige kleden. Door het raam van mijn slaapkamertje kijk ik uit over een deel van het pleintje en ik zie in het minderende licht nog net de blauwzwarte glinstering van de Arafurazee.

Het is een dag die moeilijk overtroffen kan worden. Morgen gaan we naar Wowonde, waar we andere adatdansen zullen zien, andere adatkleding, een totaal ander dorp met andere mensen. Ik heb er moeite mee me te realiseren dat er na Sangliat Dol nog veel andere eilanden te bereizen zijn, zoals bijvoorbeeld de Aru-archipel met meer dan twintig grote eilanden en meer dan zeventig kleine eilandjes en een hoofdplaats die Dobo heet. Ik zal dan weer alleen zijn en de filmploeg zal zijn teruggekeerd naar Java.

De Aru-er zegt dat zijn land bestaat uit *galakan vavapatu*, een mooie naam voor modder en koraal. Het is een land van uitgestrekte moerassen, de enige plaats waar heel af en toe nog het sombere wawk-wawk-wawk! klinkt, luid en schril, de kreet van de hier nu vrijwel uitgestorven paradijsvogel.

In de schaduw van Aireymouse

Langs de groengeel geschilderde *kaki lima*, die als oud vuil onder de djerukboom is achtergelaten, kijk ik vanaf mijn baleh-baleh uit over een rommelig kampongerfje. Als dit een film was, zou ik nu met vaardige westerse handen die paar vierkante meters verwaarloosde grond omtoveren in een schilderachtig tuintje.

De kaki lima, dat houten karretje met twee wielen en een poot, zou ik schoonmaken. Ik zou de raampjes die er nog in zitten zorgvuldig zemen. Een paar kapotte ruitjes zou ik vervangen. Alles goed afnemen met desinfecterend sop. Het houtwerk schilderen. Dan zou ik er weer een echt verkoopkarretje van maken, door het te vullen met stopflessen met snoepgoed: gulali, dodol, spekkoek. Kleurige vruchten zou ik erbij doen: doekoes, ramboetans, mango's en gele blimbings.

Dan kan ik ermee op de pasar gaan staan, op twee stevige benen die de kaki lima compleet zouden maken. Kaki lima betekent: vijf benen: dus een mens met een karretje dat twee wielen heeft en een poot.

De djerukboom moet worden gesnoeid. Het vuil moet op een hoop worden geveegd en verbrand. Het scheefgezakte schuurtje kan worden opgeruimd, hersteld en gevuld met alles wat nu mijn uitzicht alleen maar treurig maakt: een kapotte stoel, stalen buizen, een slordige hoop autobanden, een vogelkooitje met gebroken tralies.

Met een verward hoofd dat heet en koortsig aanvoelt, en met opgezette en tot spleetjes geknepen ogen tegen het hinderlijk schelle licht kan ik niet veel anders doen dan fantaseren. Nyong heeft een karaf water op de vloer bij mijn bamboebed gezet. Ook liggen er vruchten en een paar boeken die hij is gaan lenen bij zijn vriend Obliet en bij de priester in Langgur. *Falling in love again* van Barbara Conklin uit de Sweet dreams-serie, *Escape from Sonara* van Will Bryant, 'An adventure of boneshattering excitement' en *Heer leer ons bidden*, van Andre Lanf.

Op een kistje liggen verder nog mijn eigen medicijnen, norit en imodium, aangevuld met de obat van dr. Mujur uit Flores, die nu werkt in het Rumah Sakit Umum van Tual: een doosje Librax tegen de pijn in mijn maag en antibiotica. Nyong heeft er nog ichtiolzalf aan toegevoegd voor mijn ontstoken voeten en afridolpoeder omdat mijn hele bovenlijf vol jeukende rodehondvlekken zit. Ik voel me een wrak.

Alles wat ik om me heen zie is precies wat ik nodig heb: medicijnen, schoon drinkwater. Zelfs *Falling in love* trekt me aan en 'boneshattering excitement' eigenlijk nog meer en 'leren bidden' heb ik misschien het meest nodig. Maar de moeite om mijn hand naar iets uit te steken is me te veel en als Nyong niet af en toe naar binnen kwam met schoon drinkwater, zou ik er misschien niet toe komen om mijn medicijnen in te nemen. Nyong houdt me een glas voor en een aantal pillen op een stukje notitiepapier. Ik slik ze door en slaap weer in. Het is een korte broze slaap, want mijn hoofd lijkt te barsten en pijnlijke krampen trekken door mijn lijf. Die krampen zijn de reden dat ik toch steeds weer overeind kom, opsta van de baleh-baleh, het kleine lege vertrek door strompel, de openstaande deur naar de veranda uitloop, het trapje af ga, het rommeltuintje door, naar het wc-hokje waarvan de deur niet sluit maar telkens langzaam piepend opendraait, wat geeft het! In het tuintje scharrelen alleen wat kippen, die wild opstuiven zodra ik het trapje af kom, maar die alweer tevreden lopen rond te pikken zodra ik kermend neerhurk op de voetstappen-wc.

De dagen zijn half slaap, half waakdroom. De uren zijn gevuld met beelden waarvan ik soms niet meer weet of ze thuishoren in het nu of in een recent verleden, in een ver verleden of in het rijk van mijn verbeelding. Ik heb ook niet langer het gevoel dat er een onderscheid van betekenis is tussen die dimensies. Alle beelden zijn even wezenlijk, even onwezenlijk. Heden, verleden en toekomst lijken samen te vallen. Als ik wakker word en naar het tuintje kijk terwijl ik het bloed afveeg van mijn handen waar ik muskietenbeten heb opengekrabd in mijn slaap, dan zie ik de kapotte kaki lima, de stoffige djerukboom, de onverschillig weggegooide rubberbanden tussen de geknakte bougainvilleatakken. Ik knipper met mijn ogen en zie een ander tuintje: een schilderachtig hofje met een groengele kaki lima in heldere kleuren, vol kleurige stopflessen en aantrekkelijk fruit. Het ingezakte schuurtje lijkt door een reuzenhand rechtgetrokken. Er smeult nog een reinigend vuurtje in een hoek van het kleine erfje. De rommel is weg en de bougainvillea heeft zich kunnen oprichten en spreidt zijn takken langs een witgekalkte tuinmuur. Het wc-hokje heeft een deur die sluit en achter die gesloten deur zie ik duidelijk een flushpot waarop je comfortabel kunt zitten. Ik hoor zelfs het ruisen van water als er wordt doorgetrokken, al kan dat eigenlijk niet want ik woon alleen in dit vroegere huisje van Sabaroe en Amase.

Hoe ik hier gekomen ben weet ik niet meer zo precies. Tijdens de reis door Tanimbar was ik nog niet ziek, al zijn er in mijn reisdagboekje na het verslag van de dansen op het strand van Wowonde grote gaten gevallen. Ik zie me nog wel aankomen met een minivliegtuigje op de luchthaven van Langgur en ik zie Nyong, die me opwacht. Hij brengt me naar het busje van Arif, die me hartelijk begroet maar die niet ophoudt tijdens het rijden: 'Ai! Ai! Ai!' te mompelen.

'Niet naar het losmen. Niet naar Yekki.'

Ik herinner me dat ik dat zeg tegen Nyong en dat hij geruststellend knikt. Het is allemaal *tidak apa apa*, vindt hij, niets aan de hand, alles komt goed.

Ik herinner me dat ik even in het busje blijf zitten wachten terwijl Nyong met luid gekraak de deur openbreekt van een dichtgetimmerd kamponghuisje. Er komen mensen kijken, maar Arif praat zacht tegen ze en ze gaan weg.

Ik weet niet meer hoe ik uit het busje ben gekomen, maar ik weet nog goed hoe het was toen ik de opengebroken deur door liep en het kleine kamertje zag met de baleh-baleh en de openstaande deur naar de achterveranda. Ik vond het meteen een lelijk uitzicht: het kleine ommuurde tuintje leek als vuilnisstortplaats te zijn gebruikt. Maar zo erg zal het niet geweest zijn, want ik herinner me ook de zeewind die schuin kwam aanwaaien over het vervallen muurtje en die een frisse zoutige geur meebracht, een mengeling leek het van vislucht en de lucht van teer, verf en versgehakte houtspaanders.

Ik zie het weer duidelijk voor me: ik knik tegen Nyong en merk dat hij opgelucht is en blij dat ik dit onderkomen goed vind. Pas op de achterveranda, als ik daar de restanten zie van wat eens een keukentje was, begrijp ik dat dit het huisje van Amase is. Of het huisje waar Sabaroe met Frederik woonde. Of het huisje dat Nyong heeft gebouwd, lang geleden.

Ik hoef ook niets te vragen of te verklaren want Nyong lijkt alles al te weten. Dat ik geen andere mensen wil zien, dat ik ziek wil zijn, helemaal alleen met mijzelf en hoogstens wat hulp van een paar uitgelezen vrienden. Dankbaar zak ik weg in een diepe slaap, die, zoals Nyong later zegt, wel iets weg heeft van een coma. Toch haalt hij geen dokter naar dit huisje, dat helemaal privé moet blijven. Hij zet mij wel in het busje van Arif en rijdt mij naar het ziekenhuis, maar hij brengt mij ook weer terug. De volgende dag komt hij me de medicijnen brengen, ze moesten speciaal worden gemaakt, dat kostte wat tijd.

Na een tijdje ben ik zo ver dat ik weer dingen opmerk. Eerst komt het me voor dat ik een toekomstbeeld voor ogen krijg als ik het veranderde en opgeruimde tuintje zie. Het ligt daar, denk ik bij mezelf, zoals ik het ga maken, straks, als ik weer fit ben en als de kracht terug is in mijn armen.

Maar het is Nyong, die, om mij niet te storen, over het zijmuurtje klimt en in het tuintje oude rommel verbrandt, het schuurtje herstelt, de autobanden en buizen in het schuurtje bergt en de takken van de bougainvillea lostrekt. Bossen donkergroen onkruid haalt hij weg met een kapmes. Er komt een put vrij. Hij haalt een nieuwe plastic emmer van de pasar en bevestigt die aan de katrol. Hij schrobt het stenen platje rond de put. Het is nu een goede badkamer. Maar evenmin als ik naar opnieuw verliefd worden taal of naar lessen in leren bidden, taal ik naar een bad bij de schoongemaakte put. Ik lees niet, ik maak geen aantekeningen, ik eet niet en was mij nauwelijks. Een tijdlang leef ik 'met voorbedachten rade', ik prent mij alleen maar elke dag in dat ik vooral moet doorgaan met ademhalen. Maar ik kan mijn ogen weer gebruiken en ik zie dat tuintje en blijf mij afvragen hoeveel er is veranderd door de bemoeienissen van Nyong en hoeveel ik zie met de ogen van mijn verbeelding. Pas langzaam kan ik er wijs uit worden en zie dat Nyong wel het wc-hokje schoonmaakt met emmers water uit de put, maar dat hij de loshangende deur gewoon laat voor wat die is. Hij saust het muurtje niet en bekommert zich ook niet om het snoeien van djerukbomen en bougainvilleastruiken. Hij vult de kaki lima niet met snoep. Hij is geen koopman, hij is een botenbouwer. Moeizaam probeer ik zo werkelijkheid en fantasie van elkaar te scheiden.

Op een dag ben ik beter. Beter dan daarvoor in elk geval. Ik vraag Nyong of hij gister op het vliegveld soms Yekki heeft gezien, want ik weet dat zij daar vaak naar toe gaat en uitkijkt naar knappe rugzakreizigers. Ik ben bang dat zij hier opeens zal komen binnenvallen. Daar voel ik mij nog te wankel voor. Nyong heeft Yekki niet gezien en gisteren blijkt trouwens alweer twee weken geleden. Zo raast het leven soms een tijdlang zinloos aan je voorbij en laat nauwelijks een geur achter.

Nu kan ik ook weer lopen zonder de stok die Nyong als steun voor mijn gang naar het wc-hokje heeft klaargezet. Mijn benen dragen mij weer en ik loop naar de voordeur die Nyong op slot heeft gedraaid zodat niemand me zal kunnen overvallen. Ik doe die deur open en zie nu dat het huisje bijna tegen de werf is aangebouwd. Er loopt een gedeeltelijk verhard straatje langs de voorkant en ik ben vlak bij het strand. Pal voor me ligt de nieuwe boot van Nyong. Op de zijkant is met duidelijke letters geschilderd: Aireymouse. Ik haal diep adem. Het is een mooi gezicht en ik voel me veilig. Aireymouse heeft mij al die tijd in de gaten gehouden. Ik zoek schone kleren in mijn reistas en een nieuw stuk zeep. Ik ga me wassen bij de put. Daar word ik heel moe van en ik moet er een dag van uitrusten.

Wat ik nog niet had verwacht, gebeurt die nacht: een hevige korte slagregen lijkt alle nog resterende vuil weg te spoelen. Is het regenseizoen vervroegd begonnen of probeert de natuur alleen nog haar krachten op ons uit?

Door de achterdeur, die tijdens de regen open is blijven staan, zie ik de tuin, die lijkt te dampen. De zon is nu minder fel. Van de dakrand langs de veranda drupt nog steeds water op het trapje en in de tuin. Langs de achterwand van het huisje is een rij ondiepe putjes te zien waarin het regenwater nog niet helemaal is weggezakt. De hoosbui heeft een grauwe sluier weggespoeld die wekenlang over de tuin hing of over mijn gedachten, en alle kleuren zijn anders: ze houden zich niet langer in maar stralen uit. De bougainvillea is dieppaars tegen donker diepzeegroen. Het muurtje lijkt witter, de gelige strepen die erover liepen lijken te zijn opgelicht. De bruine deur van het schuurtje heeft niet een gewone modderkleur maar ik zie daar nu ook wat tinten groen en geel. De rode emmer bij de put steekt helder af tegen het gevlekte grijs van het cementen metselwerk.

Voor het eerst sinds lang word ik wakker met een gewaarwording van een opgevrolijkte wereld waarin ik nu ook weer een hongerig makende geur ruik van een arangvuurtje en gebakken nasi en uien voor het ontbijt.

Naast mijn baleh-baleh staan nieuwe plastic sandalen die ik daar niet eerder heb gezien. Al die dagen ben ik op blote voeten het trapje afgegaan en ben door de stoffige tuin naar het wc-hokje gelopen. Gisteren bij het bad naast de put zag ik voor het eerst weer blanke voeten. Ik schuif mijn tenen onder de plastic bandjes door en slof op mijn gemak naar de openstaande deur.

Nyong zit op zijn hurken in het keukenhoekje op de veranda en waaiert met een *kipas* en veegt rook uit zijn gezicht. Er staat een oude, doorgezakte rotanstoel. Ik ga daar voorzichtig in zitten, en misschien voor het eerst sinds Tanimbar groet ik Nyong en glimlach tegen hem. Hij ziet er, net als de rest van de wereld, opgevrolijkt uit en draagt een schoon wit T-shirt. Lachend schept hij wat rijst op een pisangblad en we eten zonder veel te praten.

Later bedank ik hem voor alles wat hij voor mij heeft gedaan terwijl ik ziek op de baleh-baleh lag. Maar hij wuift mijn woorden weg. Dit is een tijd van wachten, zegt hij, het was goed om veel te doen te hebben, dan gaat de tijd sneller.

'Af en toe heb ik toch wel een beetje kunnen nadenken,' vertel ik hem, 'ik heb ook nagedacht over Amase en Sabaroe en wat je over die twee vertelde. Nu heb ik alleen vragen. Waar wacht je op? En heb je ook gezegd dat vriendschap belangrijker is dan liefde, belangrijker dan bloedverwantschap? Is dat wel zo? Heb ik alleen gedroomd dat je dat zei? Waarom vond je dat je beter niet had kunnen teruggaan naar je zoon?'

Nyong houdt mij een bakje water voor, want mijn pisangblad heb ik snel leeggegeten. Ik doop mijn vingers in het water, spoel ze schoon en droog ze af aan de doek die hij mij toesteekt. Hij wast zijn eigen vingers, droogt ze af. Over de gerafelde doek heen kijkt hij me fronsend aan.

'Dat zijn veel vragen,' zegt hij ontwijkend, 'u bent erg bleek, Ibu. En nog zwak, denk ik. Ik breng u naar de Aireymouse. Ik heb een laddertje tegen de boeg gezet. Als u die op kunt klimmen gaan we in de zon zitten, in mijn boot aan het strand. Ik werk nu aan de mast. Als Amase komt moet alles klaar zijn.'

'Amase komt?' vraag ik stomverbaasd.

'Niet vandaag. Vandaag komt er geen boot uit Ambon. En morgen ook niet. Ik weet niet wanneer ze komt, maar ik ben er zeker van dat ze gauw komt.'

Door de voordeur lopen we het strand op. Ik leg mijn hand op het laddertje dat tegen de Aireymouse is gezet. Het hout voelt al warm aan. Opeens ben ik toch een beetje duizelig en de nasi goreng ligt zwaar in mijn uitgeputte maag. Is het niet beter in dit huisje te blijven, nog een paar uur te rusten op de baleh-baleh? Toch is de zon op dit vroege uur niet meer dan een streling. Daar ben ik niet duizelig van geworden. Maar door de happen hartige rijst en de woorden van Nyong ben ik gaan begrijpen dat ik weer moet leven, dat ik moet wachten op Yioshi, uitkijken naar zijn komst, dat ik me moet voorbereiden. We zouden toch het laatste deel van mijn reis samen zijn en ik ben nergens klaar voor. Ik blijf staan aan de voet van het trapje.

'Ik wacht ook, Nyong,' zeg ik en ik heb het gevoel of mijn gezicht pijnlijk vertrekt als ik dat zeg.

'Dat weet ik, Ibu,' zegt Nyong. Maar dat is onzin natuurlijk. Hij zegt maar wat. Hij weet toch van niets, zeker? Ik heb het nota bene al die weken voor mijzelf verzwegen, ik heb er zelfs in de binnenkamer van mijn hoofd niet met mijzelf over gepraat. Ik heb niets overdacht, overwogen, niets op een rijtje gezet. Ik heb het uitgewist gehouden en pas daarnet, een paar seconden geleden, is het onverwacht losgebroken en heeft iets in me mij verraden. Ik heb mijn geheim prijsgegeven. Ik heb toch niet hardop zijn naam genoemd?

Nyong is met een lichte sprong tegen de boeg opgeklauterd, staat nu recht boven mij en steekt mij een hand toe. Hij helpt mij aan boord.

Ik ga zitten op een bankje in de zon. Het ruikt nog naar verf en het glanst van nieuwheid zodat het oppervlak nat lijkt. Ik strijk er even met mijn hand over, maar elke vochtigheid is al opgedroogd in de ochtendzon. Alle regendruppels zijn verdwenen.

Nyong springt over de lage reling terug op het strand. Hij heeft zijn broekspijpen opgerold en loopt met krachtige bruine benen in de richting van het huis. Hij loopt jong en veerkrachtig.

'Ik haal koffie, Ibu!' roept hij. '*Duduk saja*! Blijf maar rustig zitten!'

Een beetje hortend ademhalend blijf ik zitten in de zon. Ik moet mezelf aan dit ene ogenblik zien vast te houden. Alles is nog goed. Maar nog even en de zon wordt alweer te heet. Ik rol mijn broekspijpen op en bekijk de witte gerimpelde huid alsof die van een ander is. In twee weken tijd heb ik heel wat kilo's verloren. Ik zie het nu heel duidelijk: dikke oude mensen zijn natuurlijk lelijk, maar magere oude mensen zijn soms nog veel lelijker. Ik ben nu te lelijk voor een geliefde. Nyong heeft gelijk: vriendschap is belangrijker dan liefde want vriendschap kan je niet zo makkelijk in één enkele klap uit handen geslagen worden. Terneergeslagen zit ik met hangende schouders en dunne witte armen in het morgenlicht.

Het is toch beter je te concentreren op het nu, het drinken van koffie, het uitkijken over het water van de Rosenberg-engte, de aanwezigheid van een vriend, het luisteren naar zijn verhalen. Straks pak ik mijn logboekje en ga verloren tijd inhalen. Ik zal hard werken, elke dag bezig zijn, ik zal eten, ik word weer beter en dikker en wat minder lelijk. Vandaag, zei Nyong, komt er geen boot aan uit Ambon. Amase komt nog niet. En ook niemand anders kan vandaag opeens bij het laddertje van de Aireymouse staan, het is hier veilig.

De koele ochtenduren zijn in een zucht voorbij. Daarna blijft het nog heel lang klam en heet. Het is niet mogelijk aan dek te blijven zitten. De zon spat terug van het witte zand en verschroeit zelfs je blote tenen.

We zoeken de schaduw van de kleine kajuit. Het is meer een overkapping, aan weerszijden zijn de wanden open. In de verte zie ik nog net het gebouw met de zwarte letters TUAL en het meer dan levensgrote beeld van een militair met gestrekte arm, schuin omhoog. Ik keer er mijn rug naar toe. Die stenen man was er nog niet in de tijd dat mijn vader hier woonde.

Uitgestrekt op het smalle bankje kijk ik uit over het water terwijl Nyong in de stuurstoel zit en iets repareert met een schroevendraaier en nijptang. Vrouwen in het dorp naaien zijn zeilen. Hij maakt primitieve bevestigingen van lege colablikjes.

Het is warm onder de overkapping. Je moet stil blijven liggen en af en toe een slok nemen uit de plastic fles met drinkwater die Nyong heeft klaargezet.

Mijn gesprekken met Nyong gaan niet over literatuur of wetenschap. Herinnert hij zich daar nog wel iets van? Ik praat met Nyong door middel van vragen die ik stel en het beluisteren van zijn antwoorden. Al houd ik mij stil, al adem ik heel licht, ik kan de woorden toch niet binnenhouden. Ik stel de minst persoonlijke vraag, ik doe dat automatisch, zonder wikken en wegen. Niets over de komst van een geliefde.

'Waarom vroeg je je af of het niet beter zou zijn geweest als je niet was teruggegaan naar je zoon?'

Nyong wrikt voorzichtig met zijn dunne lange vingers, die ik tot nu toe alleen bij pianisten zag, aan een vastgeroest schroefje. Hij zegt, in het begin aarzelend, later met meer stelligheid: 'Frederik was een echte Keiees geworden. Hij werd Boeti genoemd. Niemand kon hem iets verwijten. Hij had een goede moeder gehad, Sabaroe. Zij was alleen te jong gestorven, hij kon daar niets aan doen. Hij voldeed aan alles wat de familie van hem verlangde. Hij was vrolijk. Misschien ook oppervlakkig en snel afgeleid maar zijn huid en ogen waren donkerder dan die van mij. Hij sprak alleen de taal van het land en wilde niets anders dan zijn plaats innemen in de familierangorde. Hij zong de inheemse kinderliedjes zoals een halfbloed ze nooit zou kunnen zingen. Na de dood van Sabaroe kwam hij in huis bij een tante die gek op hem was. Iedereen in de kampong was gek op hem. Het kampongleven paste hem als een speciaal voor hem ontworpen kledingstuk. Ik kon niet nagaan hoeveel hij om anderen gaf. Alleen zijn houding tegenover mij was duidelijk: hij keerde zich meteen van me af. Hij ontweek mijn grijpende handen. Misschien voelde hij aan dat ik hem eigenlijk wel weg zou willen halen van zijn familie, van de kinderen die hij als zijn broers en zusters zag. Ik bleef voor hem de man van Amase.'

'Maar in die tijd was hij toch nog heel klein? Drie, vier jaar? Wat wist hij van Amase? Ze was toch al verdwenen toen hij nog een baby was?'

'Hij herinnerde zich Sabaroe en hij wist dat er een tijdlang een vrouw was geweest die hem liever voor zichzelf had willen houden. Hij kende, geloof ik, haar naam niet eens. Ze was een verhaal geworden. Zijn grootvader vertelde hem van een grote blanke vrouw die graag een mooie bruine zoon zou willen hebben. Maar ze wilde daar niets voor betalen. Ze kreeg hem niet. Ze moest er maar een kiezen uit de grote groep witte jongens met blonde haren die in deze tijd met de ouderen werden teruggestuurd naar het land waar ze thuishoorden en waar ze nooit vandaan hadden moeten gaan. De grootvader van Frederik was de *blanda*'s gaan haten. Hij was oud en hij was al vergeten dat hij ooit een van hen als zijn schoondochter zou hebben aanvaard als ze maar gehoorzaam was geweest en had willen werken in zijn huis, als ze zich maar gevoegd had naar de adat.

Frederik, die toch voor de helft het bloed van een blanda had, werd gezien als een lid van de familie. Hij sprak alleen de taal van het land. Mij associeerde hij met mensen die je uit de kampong kwamen weghalen om je naar een ver land te brengen waar je jammerlijk zou omkomen. Mogelijk verwarde hij mijn plotselinge komst met de verhalen over de komst van de Japanners, die onder ons volk met valse beloften mensen ronselden om te gaan werken aan de Birmaspoorweg, een karwei dat ze meestal niet overleefden. Wie zal zeggen wat al die verhalen over blanda's en Japanners in het hoofd van zo'n jong kind als Frederik uitrichtten? Vooral als die verhalen werden verteld door een oude grootvader die teleurgesteld was door zijn zoon en die, tegen het eind, oprecht geloofde dat hij bij de dood van Sabaroe zijn schoondochter was kwijtgeraakt.

Toen ik terugkeerde op Kei merkte ik dat ik in ons kleine dorp, vlak bij Tual, een vreemde was geworden. Al had ik honderd procent Keiees bloed, ik werd daar niet als Keiees behandeld. Ik was de bedreiger, de mogelijke verrader. Iedereen verwachtte dat ik Frederik zou afpakken van zijn familie en hem naar het kamp van de vijand zou brengen. Ze dachten dat ik met hem op een boot zou stappen, Amase achterna en dat ze hem dan nooit meer zouden terugzien.

Iedereen keerde zich van mij af. Mijn eigen familie, mijn dorpsgenoten. Ik was niet welkom in de desa, niet welkom in hun huizen. Ik ben toen in Toeal gaan wonen. Ik heb het huisje van Sabaroe dichtgetimmerd. Toch ben ik er, in de loop van de jaren, steeds weer heen gegaan. Heimelijk klom ik over het zijmuurtje. In de vroege ochtenduren, als het nog schemerig was, maakte ik koffie voor mijzelf in het keukentje op de veranda. Ik hield het huisje schoon en zorgde dat er geen dieren in gingen nestelen. Maar ik heb daar nooit meer echt gewoond. Mijn tehuis is op de werf, bij de schepen.

Veel jaren later, toen men had begrepen dat ik Frederik niet zou weghalen, ging men wat minder vijandig tegenover mij staan. Wij zijn geen rancuneus volk, wij leven zelden in het verleden. Toch ben ik door de houding van mijn familie een ander mens geworden: een man zonder geboortegrond die niet meer echt hier en ook niet echt daar hoort. Ik zou dat allemaal liever niet hebben meegemaakt. Ik wou dat ik was blijven werken op Java met het gevoel dat er op de Kei-eilanden mensen met ongeduld op mij zaten te wachten. Ik had beter in Soerabaja kunnen blijven om veel geld te verdienen. Ik had mijn studie weer op moeten pakken en Frederik ook naar de universiteit laten gaan. Maar misschien had hij dat toch niet gewild. Hij is een visser in hart en nieren en hij heeft er geen behoefte aan dingen te leren waar hij in zijn dagelijks leven niets aan heeft.'

'Maar blijkbaar,' zeg ik, 'kan hij een vrouw onderhouden en vijf kinderen, van wie er drie vlasblond zijn. Hoe worden die hier bekeken? Zijn het ook vreemdelingen geworden?'

'Hoe je eruitziet,' zegt Nyong en hij legt zijn gereedschap neer en kijkt net als ik uit over de zee, die nu wemelt van de vissersprauwen, 'dat maakt niets uit. Je kunt een lichte huid hebben en blond haar en toch bij het volk horen. Je kunt een donkere huid hebben en donkere ogen en toch een bezetter zijn, een bedreiging voor het volk. De Japanners waren Aziaten met donkere ogen. Mijn kleinkinderen zijn hier volledig geaccepteerd. Er is er geen bij die lijkt op Amase. En eigenlijk is er ook geen bij die lijkt op mij. Dat is de teleurstelling van de ouderdom. Je nageslacht is je vreemd. Er is er geen bij die denkt zoals jij. Als je in hun ogen kijkt zie je niet jezelf maar een onbekende.

'Dat is een heel persoonlijke beleving,' zeg ik, 'zo is het niet altijd.' Nyong haalt zijn schouders op.

Is het wel goed dat Amase terugkomt, vraag ik mij af maar ik zeg dat natuurlijk niet hardop. Als je allebei oud bent, kun je dan toch opnieuw beginnen? Oost en West, gaat dat samen? Kan dat wel voor langer dan een kort ogenblik?

Bij het licht van een petroleumlampje zit ik die nacht nog

lang te schrijven in mijn logboekje. Koffie, zon en zeewind hebben mijn hoofd helder gemaakt. Ik schrijf over Amase en Nyong. Ook schrijf ik over mijzelf en Yioshi. Oost en West, gaat dat wel samen, denk ik steeds.

Het licht van het lampje valt in een cirkel van niet meer dan een halve meter rond mijn notitieboekje. Maar vreemd genoeg lijkt het of de hele kamer in een helder licht staat. Ik kan alles nu duidelijk zien. Even meen ik de samenhang te kunnen begrijpen en mijn herinneringen zijn scherper dan ooit tevoren. Ze tonen zich niet alleen in beelden, maar ook in flarden van gesprekken die ik duidelijk kan horen. Alsof al die woorden pas nog gezegd zijn, dicht aan mijn oor.

Toch weet ik dat er tussen die flarden die ik mij herinner soms lange maanden van eenzaamheid lagen. Maar het belang van zo'n verstandelijke overweging lijkt in te krimpen vergeleken bij de intensiviteit van de perioden die wij samen hebben beleefd. Die gedeelten worden verbonden door een koppelteken en de lengte daarvan is niet korter of langer dan een zucht. We lijken elkaar al heel lang te kennen, ook al waren we soms stomverbaasd omdat we niets van elkaar begrepen.

De beslissing van Amase

De boot die Tual verbindt met Dobo op Aru is uit de vaart genomen en ligt voor herstel in een dok bij Menado. Elke dag ga ik alle vissersboten af. Er zijn er genoeg die naar Aru varen maar het zijn *kapal laki-laki*, vertelt men mij. Mannenboten dus en dat betekent: geen wc of wasgelegenheid aan boord. Men maakt gebruik van de openbare reling en vrouwen horen dat niet te doen.

Ten slotte vind ik toch de Bendolu, die binnenkort zal uitvaren. Wanneer precies, dat weet niemand. Ik moet me elke dag gereedhouden. Een uur voor vertrek zal iemand mij komen halen. Mijn reistas staat klaar bij de baleh-baleh. 's Ochtends pak ik hem in en 's avonds pak ik hem weer uit.

Op een ochtend is het zover. Niet het uitvaren van de Bendolu, maar de komst van Amase. De boot uit Ambon is net aan de kade afgemeerd als Nyong en ik de pier oplopen. Het is nog vroeg maar er zijn al veel mensen langs het water.

'Ik zie haar staan,' zegt Nyong. Hij ziet er een beetje ziek uit. Ik denk meteen: dat kan gewoon niet! Als je iemand zoveel jaren niet hebt gezien, dan kun je hem of haar van zo'n afstand niet direct herkennen. Heeft hij nu nog het beeld voor ogen van een mager meisje in een verschoten jurkje, loshangende blonde haren, een verlegen lach? Haast in paniek denk ik: ik moet hem waarschuwen! Hij mag niet gekwetst worden!

Maar dat is toch onzin? Hij ziet er nu wel uit als een

breekbare oude man, maar onder de rimpels op zijn voorhoofd ligt een heel redelijk intellect alert te wachten op elke nieuwe ervaring. Ik hoef hem toch niets te vertellen?

Zorgvuldig kijk ik het hele dek langs. Men begint nu met de ontscheping. Is het mogelijk dat Yioshi aan boord is? Het kan. Het is de hoogste tijd. Als hij nog langer wacht ben ik vertrokken naar Dobo. Maar ik zie nergens het gezicht van mijn Birmese vriend, geen lange man van de leeftijd van Nyong en mijzelf.

De eerste passagiers van de Ambonboot lopen pratend en lachend langs ons heen. Ik stel me voor dat we lang zullen moeten wachten en dat Amase bij de passagiers zal horen die het laatst van boord gaan. Waarom denk ik dat eigenlijk? Nu word ik toch nog verrast als er plotseling een stevig gebouwde vrouw naast ons komt staan. Ik herken haar niet echt, maar zij moet het wel zijn, de enige die er net zo bleekjes en gespannen uitziet als Nyong. Door al die weken waarin ik heb nagedacht over de verhalen van Nyong over Amase, heb ik het gevoel gekregen dat ze een vriendin van me is. Maar dat is niet zo. Het is niet iemand waar ik uit mezelf met uitgestoken handen naar toe zou gaan. Meer een onbekende waar je gewoon langs loopt. Als ze een hand op mijn arm legt reageer ik zelfs niet. Ik heb me meer laten verrassen dan Nyong, die haar hand grijpt en er een ringetje in legt dat ze gewoon open op haar handpalm laat liggen in plaats van het tactvol in haar gesloten vuist te knijpen. Ze kijkt er stomverbaasd naar en het dringt tot me door dat ze niet bij ons bleef stilstaan omdat ze Nyong herkende, maar omdat ik de enige buitenlandse vrouw ben hier op de kade en ze een landgenote in me vermoedde. Mensen duwen, botsen tegen ons aan. 'Toe nou, mens!' wil ik kwaad roepen maar zij roept eerder dan ik: 'Ach god! Ik was vergeten dat hij zoveel kleiner is dan ik! Ben jij het, Nyong?'

Nyong zegt een paar woorden ter verwelkoming in het Bahasa Indonesia. Ze fronst niet begrijpend haar wenkbrauwen, dunne grijsblonde lijntjes boven zelfbewuste ogen. Ik krijg de indruk dat ze de taal is vergeten.

Nyong gaat wat meer rechtop staan. Ik probeer het trillen van mijn benen te beheersen en over haar schouders heen blijf ik kijken naar de passagiers die aan komen lopen; is hij erbij?

'Ach god!' zegt Helena weer, gekweld. Ze lijkt meer op Helena dan op Amase, denk ik. Een vrouw in een mouwloos bloesje, dunne bandjes over vlezige blote schouders. Ziet er goed uit, verzorgd. Een medaillon op een fluwelen bandje, verbergt de paar rimpeltjes in haar hals. Als ik goed kijk, kan ik Helena uit het kamp wel in haar herkennen maar Amase die in zee stond met een steen in haar hand en die een hele kampongbevolking trotseerde, die zie ik niet. Amase zou een wat excentrieke oude vrouw kunnen zijn, beetje slordig in het kaki van haar safaripak. Helena is een dame geworden.

'We gaan koffie drinken,' zegt Nyong nu in het Engels. Ik wil me omdraaien en weglopen, maar hij zegt dringend: 'Don't go!'

Even later zitten we met zijn drieën aan een tafeltje op het trottoir van een druk havenstraatje. Helena doet of ik degene ben die ze wilde ontmoeten. Tegen Nyong heeft ze na die eerste vraag niets meer gezegd. Ze heeft zelfs niet bedankt voor de ring. Haar trouwring? Had ze die hier achtergelaten? Nyong heeft nooit iets gezegd over een ring en ik besef nu dat ik maar een klein stukje te horen heb gekregen van zijn relatie met Amase. Nyong en ik drinken zwijgend koffie. Amase praat en praat: 'Het is gek hoor, je weet niet hoe gek dit is, ik weet niet wat ik moet zeggen, het is zo raar gelopen, het is allemaal zo lang geleden en het kamp en de peloppers en de kampongbevolking, zo eng allemaal, ik was nog een kind.'

Ze zegt het op zo'n luide toon, met zo'n scherpe stem, terwijl het allemaal gefluisterd had moeten worden of verzwegen want je jeugd is vaak een beetje beschamend, dat geldt toch voor ons allemaal?

'Ik moet even weg, Nyong,' zeg ik, gewoon in het Bahasa Indonesia al weet ik niet of Helena daar nog iets van verstaat.

'Ik wil voor alle zekerheid even kijken of er iemand bij de passagiers is die ik ken.' Ik glimlach nog tegen Helena en loop weg.

'Straks,' roept Nyong, 'bij de Aireymouse!'

Ik wuif instemmend met mijn hand. Maar ik hoef helemaal niet uit te kijken naar Yioshi. Zo gaat dat tussen ons niet. Ik ga gewoon mijn gang en hij vindt me wel, hij is niet gek.

Ik ben gewoon in de war geraakt doordat ik de situatie zo slecht heb ingeschat. Ik hoefde Nyong niet te waarschuwen. Hij heeft zich heel goed gered. Deze ochtend leek hij, meer dan ooit tevoren, op een soort 'Ghandi op Kei'. Helena en ik zijn tekortgeschoten in wellevendheid. Nyong is door alles heen hoffelijk gebleven. Hij zal het wel klaarspelen.

Ik trek mijn linnen hoedje dieper over mijn hoofd, want er steekt een onverwachte zeewind op die de zeilen van de prauwen doet wapperen. Mensen springen op uit hun gehurkte houding, lachen luid, grijpen de zeilen vast, sjorren aan de trossen.

Met iets gebogen hoofd loop ik tegen de stroom in naar de Ambonboot. Mijn sandalen lijken vast te plakken aan het smeltende teer in de groeven van het plankier. De lucht is vol geluiden, hollende voeten, handgeklap, gejuich, gelach, geschreeuw. Ik kijk naar niemand uit. Dat is niet nodig. Laat ik maar naar de Aireymouse gaan en mijn logboek een beetje bijwerken. Misschien vaar ik vanavond nog af naar Dobo.

Zittend op het pas geschilderde bankje van Nyongs boot schrijf ik bladzijden vol. Eerst schrijf ik met licht trillende handen alleen: 'Ik ben geschrokken. Ik ben zo erg geschrokken.' Daarna pas probeer ik de woorden ervoor te vinden.

Als ik een uur later opkijk, zie ik Nyong, die over het zand naar de boot toe komt. Hij is alleen. Heeft hij haar naar het huisje gebracht om uit te rusten? Hij klimt aan boord. Niet langs het laddertje, dat doet hij nooit. Met een soepele sprong zwaait hij over de boeg heen, waartegen hij zich even heeft afgezet met een blote voet. Zijn sandalen blijven in het zand staan.

Glimlachen en zwijgen is in zulke gevallen de laatste toevlucht. Hij geeft me een enveloppe.

'Helena heeft de post uit Ambon voor ons meegebracht.'

'Amase?' vraag ik, terwijl ik de enveloppe al openscheur.

'Die is terug naar Ambon. Ze wilde meteen weer aan boord. Zo gaat dat, Ibu.'

Hij keert zich af en gaat de kajuit in waar hij iets opzoekt, of weglegt, wat morrelt, wat verwezen rondscharrelt.

Yioshi schrijft dat hij mij in Dobo zal ontmoeten.

'Rechtstreeks vanuit Australië,' staat er. De brief is bijna anderhalve maand oud en heeft al die tijd op de poste restante-afdeling van het postkantoor in Ambon gelegen. Als je daar naar post komt vragen, geven ze je een hele stapel in handen. Je kunt er vrij in grasduinen. Nyong moet Amase hebben gevraagd die stapel voor mij door te nemen.

Ik zit lang te turen op het bekende zekere handschrift zonder bedenkingen. Zelf heb ik wel bedenkingen. Oost en West, gaat dat wel samen? En zijn wij zo langzamerhand niet veel te oud? Kan ik niet beter O, god! roepen en teruggaan naar Ambon? Maar voor teruggaan ben ik ook te oud.

Wat er gebeurt wil ik tot het einde toe uitleven.

Ik wil nog naar Aru en naar de Riau-archipel. Ik wil terug naar ons oude huis in Lahat. Ditmaal wil ik er binnengaan, lopen over de plek waar mijn vaders bureau stond in de studeerkamer. Want die onzekere zoektocht naar zijn leven is nog maar net begonnen. Ik wil niets dat moeilijk te verwerken is zomaar weggooien. Wat het betekent: de omgeving van mijn jeugd, de rol van mijn vader, ikzelf, mijn vriend Yioshi, daar wil ik mijn hand op kunnen leggen.

Uren later. Mijn reistas staat in de hut van de kapitein en er is een zeemanskooi die er comfortabel uitziet. Maar ik ben te onrustig om te gaan slapen. Ik heb nu al heimwee naar Kei en Tanimbar en het gezelschap van Nyong.

Aan dek zoek ik een stil plekje en zit daar met opgetrokken benen tussen de andere zacht pratende passagiers. In de schemering zie ik tientallen kleine eilandjes voorbijglijden.

Ik verheug me op onze tocht door Aru. We zullen een speedboot moeten huren, want de afstanden in dit gebied zijn enorm. Ik laat mijn haar los wapperen en, al ben ik nog onderweg naar Dobo, ik zie mij al in een snelle boot zitten die met vaste hand langs de palmen- en mangrovebossen van Aru wordt gestuurd, langs Wamar, Workam, Kobror.

Het regenseizoen heeft zich even ingehouden. We zullen nog over de weggetjes door de moerassen kunnen lopen, al liggen ze half onder, half boven water. We zullen de laatste paradijsvogels zien en piepkleine kangoeroes en witte, gele, groene papegaaien. We zullen veel lachen en elkaar verbazen en teleurgesteld worden. We zullen elkaar ergeren en af en toe zal er ook dat gevoel van vertedering zijn. Want zo gaat dat, zegt Nyong.

'Langs de Sungai Manambai naar Pulau Kobror.' Nu al is het de titel van een hoofdstuk vol kleurrijke gebeurtenissen.

'Zal het een goede reis worden?' heeft Nyong gevraagd.

Ik weet het niet, antwoord ik hem in gedachten. Ik heb geen idee. Geloof het of niet, Nyong, ik heb eigenlijk nergens enig idee van.

Woordenlijst

awas pas op!
agama seminarie
anak kind
ayah vader
arang houtskool
ayer djeroek citroendrank
bapak muda jongere broer
bebeen asbingar gewerendans
brani moedig
bungah busuk verwelkte bloem
dukun medicijnman, tovenaar
embal witte cassaveballetjes
emper afdak, bijgebouwtje
enfak soort beitel
gayong schepemmertje bij het baden
gassub zieleneiland
gendih waterkruik
goedang opslaghuis, pakhuis, magazijn
kabaja Indonesische vrouwenblouse met lange mouwen
kaju besi ijzerhout
kaki lima houten karretje (letterlijk: vijf benen)
kebon tuin; tuinjongen
kemoening struik met sterk geurende bloesems
kepala sekola schoolhoofd
kepala kampung komponghoofd
kipas waaier
kriting kroezend
kuburan kleine begraafplaats
lampu templeh wand (olie)lamp
lapongan open veld waar gedanst en gesport wordt
lekas lekas vlug, vlug
loloin hanger
losmen logement, klein hotel

maloe verlegen
microlet minibusje
muallaf bekeerling
muslimat gemeenschap van moslimvrouwen
natar dorpsplein op Tanimbar, in bootvorm
nyonya besar letterlijk: grote mevrouw, belangrijke dame
oleh oleh geschenken van gasten, ook: souvenirs
orang kaya dorpshoofd
pantjurang gietertje
pasanggrahan gebouw door het gouvernement opgericht voor tijdelijk verblijf van ambtenaren
peci hoofddeksel
pelopper scherpschutter
pembantu huisbediende
pemoeda lid van een Indonesische paramilitaire jeugdorganisatie
petani landbouwer
pomali taboe, verboden
saguer palmwijn
sahadat biecht
sakit hati liefdesverdriet of heimwee, letterlijk: pijn in het hart
siksibar asbingar lied bij de gewerendans
slokan sloot
sobat vriend
soeffan steensoort
sumangè zielenstof
sungkem gebaar van respect
surat jalan speciale vergunning
susteran kloostergemeenschap van katholieke zusters
takut bang
tea-bel (spreek uit: téjabel) verbond
tuak palmwijn
tukan jait kleermaker, naaister
tokeh nachthagedis
wara negra staatsburger
wase verbodsteken
zakat soort religieuze taks